COLLECTION TEL

Michel Butor

Essais
sur le roman

Gallimard

Ces textes sont tirés des recueils intitulés Répertoire
qui constituent en cinq volumes
la somme des articles critiques de Michel Butor.

LE ROMAN COMME RECHERCHE

I

Le roman est une forme particulière du récit.

Celui-ci est un phénomène qui dépasse considérablement le domaine de la littérature ; il est un des constituants essentiels de notre appréhension de la réalité. Jusqu'à notre mort, et depuis que nous comprenons des paroles, nous sommes perpétuellement entourés de récits, dans notre famille tout d'abord, puis à l'école, puis à travers les rencontres et les lectures.

Les autres, pour nous, ce n'est pas seulement ce que nous en avons vu de nos yeux, mais ce qu'ils nous ont raconté d'eux-mêmes, ou ce que d'autres nous en ont raconté ; ce n'est pas seulement ceux que nous avons vus, mais aussi tous ceux dont on nous a parlé.

Ceci n'est pas seulement vrai des hommes, mais des choses mêmes, des lieux, par exemple, où je ne suis pas allé mais que l'on m'a décrits.

Ce récit dans lequel nous baignons prend les formes les plus variées, depuis la tradition familiale, les renseignements que l'on se donne à table sur ce que l'on a fait le matin, jusqu'à l'information journalistique ou l'ouvrage historique. Chacune de ces formes nous relie à un secteur particulier de la réalité.

Tous ces récits véridiques ont un caractère en commun, c'est qu'ils sont toujours en principe vérifiables. Je dois pouvoir recouper ce que m'a dit un tel par des renseignements venus d'un autre informateur, et ceci indéfiniment ; sinon, je me trouve devant une erreur ou une fiction.

Au milieu de tous ces récits grâce auxquels se constitue en grande partie notre monde quotidien, il peut y en avoir qui sont délibérément inventés. Si, pour éviter toute méprise, on donne aux événements racontés des caractéristiques qui les distinguent d'emblée de ceux auxquels nous avons l'habitude d'assister, nous nous trouvons devant une littérature fantastique, mythes, contes, etc. Le romancier, lui, nous présente des événements semblables aux événements quotidiens, il veut leur donner le plus possible l'apparence de la réalité, ce qui peut aller jusqu'à la mystification (Defoe).

Mais ce que nous raconte le romancier est invérifiable et, par conséquent, ce qu'il nous en dit doit suffire à lui donner cette apparence de réalité. Si je rencontre un ami et qu'il m'annonce une nouvelle surprenante, pour emporter ma créance il a toujours la ressource de me dire que tels et tels ont eux aussi été témoins, que je n'ai qu'à aller vérifier. Au contraire, à partir du moment où un écrivain met sur la couverture de son livre le mot roman, il déclare qu'il est vain de chercher ce genre de confirmation. C'est par ce qu'il nous en dit et par là seulement que les personnages doivent emporter la conviction, vivre, et cela, même s'ils ont existé en fait.

Imaginons que nous découvrions un épistolier du xixe siècle déclarant à son correspondant qu'il a très bien connu le Père Goriot, que celui-ci n'était pas du tout comme Balzac nous l'a dépeint, que, notamment, à telle et telle page, il y a de grossières erreurs ; cela n'aurait évidemment aucune importance pour nous. Le Père Goriot est ce que Balzac nous en dit (et ce que l'on peut en dire à partir de là) ; je peux estimer que Balzac se trompe dans ses jugements par rapport à son propre personnage, que celui-ci lui échappe, mais pour justifier mon attitude, il faudra que je m'appuie sur les phrases mêmes de son texte ; je ne puis invoquer d'autre témoin.

Alors que le récit véridique a toujours l'appui, la ressource d'une évidence extérieure, le roman doit suffire à susciter ce dont il nous entretient. C'est pourquoi il est le domaine phénoménologique par excellence, le lieu par excellence où étudier de quelle façon la réalité nous apparaît ou peut nous apparaître ; c'est pourquoi le roman est le laboratoire du récit.

II

Le travail sur la forme dans le roman revêt dès lors une importance de premier plan.

En effet, peu à peu, en devenant publics et historiques les récits véridiques se fixent, s'ordonnent, et se réduisent, selon certains principes (ceux-là mêmes de ce qu'est aujourd'hui le roman « traditionnel », le roman qui ne se pose pas de question). A l'appréhension primitive s'en substitue une autre incomparablement moins riche, éliminant systématiquement certains aspects ; elle recouvre peu à peu l'expérience réelle, se fait passer pour celle-ci, aboutissant ainsi à une mystification généralisée. L'exploration de formes romanesques différentes révèle ce qu'il y a de contingent dans celle à laquelle nous sommes habitués, la démasque, nous en délivre, nous permet de retrouver au-delà de ce récit fixé tout ce qu'il camoufle ou qu'il tait, tout ce récit fondamental dans lequel baigne notre vie entière.

D'autre part, il est évident que la forme étant un principe de choix (et le style à cet égard apparaît comme un des aspects de la forme, étant la façon dont le détail même du langage se lie, ce qui préside au choix de tel mot ou de telle tournure plutôt que de telle autre), des formes nouvelles révèleront dans la réalité des choses nouvelles, et ceci, naturellement, d'autant plus que leur cohérence interne sera plus affirmée par rapport aux autres formes, d'autant plus qu'elles seront plus rigoureuses.

Inversement, à des réalités différentes correspondent des formes de récit différentes. Or, il est clair que le monde dans lequel nous vivons se transforme avec une grande rapidité. Les techniques traditionnelles du récit sont incapables d'intégrer tous les nouveaux rapports ainsi survenus. Il en résulte un perpétuel malaise ; il nous est impossible d'ordonner dans notre conscience, toutes les informations qui l'assaillent, parce que nous manquons des outils adéquats.

La recherche de nouvelles formes romanesques dont le pouvoir d'intégration soit plus grand, joue donc un triple rôle par rapport à la conscience que nous avons du réel, de dénonciation, d'exploration et d'adaptation. Le romancier qui se refuse à ce travail, ne bouleversant pas d'habitudes, n'exigeant de son lecteur aucun effort particulier, ne l'obligeant point à ce retour sur soi-même, à cette mise en question de positions depuis longtemps acquises, a certes, un succès plus facile, mais il se fait le complice de ce profond malaise, de cette nuit dans laquelle nous nous débattons. Il rend plus raides encore les réflexes de la conscience, plus difficile son éveil, il contribue à son étouffement, si bien que, même s'il a des intentions généreuses, son œuvre en fin de compte est un poison.

L'invention formelle dans le roman, bien loin de s'opposer au réalisme comme l'imagine trop souvent une critique à courte vue, est la condition *sine qua non* d'un réalisme plus poussé.

III

Mais la relation du roman à la réalité qui nous entoure ne se réduit pas au fait que ce qu'il nous décrit se présente comme un fragment illusoire de celle-ci, fragment bien isolé, bien maniable, qu'il est donc possible d'étudier de près. La différence entre les événements du roman et ceux de la vie, ce n'est pas seulement qu'il nous est possible de vérifier les uns, tandis que les autres, nous ne pouvons les atteindre qu'à travers le texte qui les suscite. Ils sont aussi, pour prendre l'expression courante, plus « intéressants » que les réels. L'émergence de ces fictions correspond à un besoin, remplit une fonction. Les personnages imaginaires comblent des vides de la réalité et nous éclairent sur celle-ci.

Non seulement la création mais la lecture aussi d'un roman est une sorte de rêve éveillé. Il est donc toujours passible d'une psychanalyse au sens large. D'autre part, si je veux expliquer une théorie quelconque, psychologique, sociologique, morale ou autre, il m'est souvent commode de prendre un exemple inventé. Les personnages du roman vont jouer ce rôle à merveille ; et ces personnages je les reconnaîtrai dans mes amis et connaissances, j'éluciderai la conduite de ceux-ci en me basant sur les aventures de ceux-là, etc.

Cette application du roman à la réalité est d'une extrême complexité, et son « réalisme », le fait qu'il se présente comme fragment illusoire du quotidien, n'en est qu'un aspect particulier, celui qui nous permet de l'isoler comme genre littéraire.

J'appelle « symbolisme » d'un roman l'ensemble des relations de ce qu'il nous décrit avec la réalité où nous vivons.

Ces relations ne sont pas les mêmes selon les romans, et il me semble que la tâche essentielle du critique est de les débrouiller, de les éclaircir afin que l'on puisse extraire de chaque œuvre particulière tout son enseignement.

Mais, puisque dans la création romanesque, et dans cette recréation qu'est la lecture attentive, nous expérimentons un système complexe de relations de significations très variées, si le romancier cherche à nous faire part sincèrement de son expérience, si son réalisme est assez poussé, si la forme qu'il emploie est suffisamment intégrante, il est nécessairement amené à faire état de ces divers types de relations à l'intérieur même de son œuvre. Le symbolisme externe du roman tend à se réfléchir dans un symbolisme interne, certaines parties jouant, par rapport à l'ensemble, le même rôle que celui-ci par rapport à la réalité.

IV

Cette relation générale de la « réalité » décrite par le roman à la réalité qui nous entoure, il va de soi que c'est elle qui détermine ce que l'on appelle couramment son thème ou son sujet, celui-ci apparaissant comme une réponse à une certaine situation de la conscience. Mais ce thème, ce sujet, nous l'avons vu, ne peut se séparer de la façon dont il est présenté, de la forme sous laquelle il s'exprime. A une nouvelle situation, à une nouvelle conscience de ce qu'est le roman, des relations qu'il entretient avec la réalité, de son statut, correspondent des sujets nouveaux, correspondent donc des formes nouvelles à quelque niveau que ce soit, langage, style, technique, composition, structure. Inversement, la recherche de formes nouvelles, révélant de nouveaux sujets, révèle des relations nouvelles.

A partir d'un certain degré de réflexion, réalisme, formalisme et symbolisme dans le roman apparaissent comme constituant une indissociable unité.

Le roman tend naturellement et il doit tendre à sa propre élucidation ; mais nous savons bien qu'il existe des situations caractérisées par une incapacité de se réfléchir, qui ne subsistent que par l'illusion qu'elles entretiennent à leur sujet, et c'est à elles que correspondent ces œuvres à l'intérieur desquelles cette unité ne peut apparaître, ces attitudes de romanciers qui se refusent à s'interroger sur la nature de leur travail et la validité des formes qu'ils emploient, de ces formes qui ne pourraient se réfléchir sans révéler immédiatement leur inadéquation, leur mensonge, de ces formes qui nous donnent une image de la réalité en contradiction flagrante avec cette réalité qui leur a donné naissance et qu'il s'agit de taire. Il y a là des impostures que le critique se doit de dénoncer, car de telles œuvres, malgré leurs charmes et leurs mérites, entretiennent et obscurcissent l'ombre, maintiennent la conscience dans ses contradictions, dans son aveuglement risquant de l'amener aux plus fatals désordres.

Il résulte de tout ceci que toute véritable transformation de la forme romanesque, toute féconde recherche dans ce domaine, ne peut que se situer à l'intérieur d'une transformation de la notion même de roman, qui évolue très lentement mais inévitablement (toutes les grandes œuvres romanesques du xxe siècle sont là pour l'attester) vers une espèce nouvelle de poésie à la fois épique et didactique,

à l'intérieur d'une transformation de la notion même de littérature qui se met à apparaître non plus comme simple délassement ou luxe, mais dans son rôle essentiel à l'intérieur du fonctionnement social, et comme expérience méthodique.

(1955)

INTERVENTION A ROYAUMONT

Je suis venu au roman par nécessité. Je n'ai pu l'éviter. Voici à peu près comment cela s'est passé : j'ai fait des études de philosophie et, pendant ce temps-là, j'ai écrit des quantités de poèmes. Or, il se trouvait qu'entre ces deux parties de mon activité, il y avait un hiatus très grand. Ma poésie était à bien des égards une poésie de désarroi, très irrationaliste, tandis que je désirais évidemment apporter de la clarté dans les sujets obscurs en philosophie.

Lorsque je suis parti de France, je me suis trouvé avec cette difficulté en moi : comment relier tout cela ? Le roman m'est apparu comme la solution de ce problème personnel à partir du moment où l'étude des grands auteurs du xixe et du xxe siècle m'a montré qu'il y avait dans leurs œuvres une application magistrale de cette phrase de Mallarmé : « Chaque fois qu'il y a effort sur le style, il y a versification », et qu'en elles se produisait une « réflexion » qui pouvait être poussée très loin, ne serait-ce que par une certaine façon de décrire les choses, cette description méthodique s'inscrivant exactement dans le prolongement de l'évolution philosophique contemporaine qui trouve son expression la plus claire, et la position la plus aiguë de ses problèmes, dans la phénoménologie.

Le poète se sert d'une prosodie, qu'elle soit de type classique, ce qui, en France, consiste actuellement à compter jusqu'à douze, ou de type surréaliste, ce qui consiste à donner des suites d'images contrastées ; le poète invente, en faisant jouer les mots à l'intérieur de certaines formes, en s'efforçant de les organiser selon des exigences sonores ou visuelles ; il arrive ainsi à retrouver leur sens, à les dénuder, à leur rendre leur santé, leurs puissances vives.

En élargissant le sens du mot style, ce qui s'impose à partir de l'expérience du roman moderne, en le généralisant, en le prenant à tous les niveaux, il est facile de montrer qu'en se servant de structures suffisamment fortes, comparables à celles du vers, comparables à des structures géométriques ou musicales, en faisant jouer systématiquement les éléments les uns par rapport aux autres jusqu'à ce qu'ils aboutissent à cette révélation que le poète attend de sa prosodie, on peut intégrer en totalité, à l'intérieur d'une description partant de la banalité la plus plate, les pouvoirs de la poésie.

Je n'écris pas des romans pour les vendre, mais pour obtenir une unité dans ma vie ; l'écriture est pour moi une colonne vertébrale ; et, pour reprendre une phrase d'Henry James : « Le romancier est quelqu'un pour qui rien n'est perdu. »

Il n'y a pas pour le moment de forme littéraire dont le pouvoir soit aussi grand que celui du roman. On peut y relier d'une façon extrêmement précise, par sentiment ou par raison, les incidents en apparence les plus insignifiants de la vie quotidienne et les pensées, les intuitions, les rêves en apparence les plus éloignés du langage quotidien.

Il est ainsi un prodigieux moyen de se tenir debout, de continuer à vivre intelligemment à l'intérieur d'un monde quasi furieux qui vous assaille de toutes parts.

S'il est vrai qu'il existe une liaison intime entre fond et forme, comme on disait dans nos écoles, je crois qu'il est bon d'insister sur ce fait que dans la réflexion sur la forme, le romancier trouve un moyen d'attaque privilégié, un moyen de forcer le réel à se révéler, de conduire sa propre activité.

Certes, quelques artistes naïfs parviennent à nous bouleverser, mais la plupart d'entre nous ne peuvent se contenter de la naïveté ; prétendre y retourner ne serait que mensonge ; il n'est plus temps. Nous sommes obligés de réfléchir à ce que nous faisons, donc de faire consciemment, sous peine d'abêtissement et d'avilissement consentis, de notre roman un instrument de nouveauté et par conséquent de libération.

Car la sottise et l'ignominie sont tapies dans tous les recoins à nous guetter, toutes prêtes à nous effacer. N'êtes-vous pas chaque jour saisis par leur odeur montant des pages de certains journaux ou des conversations de salons ?

Or, si le romancier publie son livre, cet exercice fondamental de son existence, c'est qu'il a absolument besoin du lecteur pour le mener à bien, comme complice de sa constitution, comme aliment dans sa croissance et son maintien, comme personne, intelligence et regard.

Certes, il est lui-même son propre lecteur, mais un lecteur insuffisant, qui gémit de son insuffisance et qui désire infiniment le complément d'un autrui et même d'un autrui inconnu.

Pour que ma voix puisse durer, il lui est absolument nécessaire d'être soutenue par son propre écho. Et les amis, les connaissances n'y suffisent point, il faut que de l'espace blanc, de la foule mère d'inquiétude et de perdition, vienne, ne serait-ce que très ténue, cette consolation, cet encouragement.

Cette réponse va se traduire de toutes sortes de façons : par des articles de critiques, par des conversations, des lettres, donc par l'intermédiaire d'individus nommés qui se détachent comme porte-parole, comme avant-coureurs, mais beaucoup plus subtilement et fondamentalement par la transformation très lente qui va s'esquisser à l'intérieur du milieu même dans lequel vit le romancier, de ce milieu dont les tensions, dont les malheurs ont donné naissance au roman, les gens peu à peu changeant leur façon de le voir et de se voir, de voir tout autour d'eux, les choses par conséquent prenant un nouvel équilibre provisoire sur la base duquel une nouvelle aventure commencera.

Il y a une certaine matière qui veut se dire ; et en un sens ce n'est pas le romancier qui fait le roman, c'est le roman qui se fait tout seul, et le romancier n'est que l'instrument de sa mise au monde, son accoucheur ; on sait quelle science, quelle conscience, quelle patience cela implique.

Depuis cette appréhension confuse, presque douloureuse, d'une certaine région en souffrance de nuit, qui exige obscurément qu'on la produise jusqu'à la fin du livre, il y a attention, attentes, il y a surveillance et conduite, il y a conseil et recours ; tout au long de cet engendrement, il y a réflexion et donc formalisation au sens musical et mathématique, au sens où l'on emploie ce mot dans les sciences physiques, réflexion qui ne peut se faire proprement, qui ne peut s'établir en clarté, que par un certain nombre de symbolisations, de schématisations, qu'à l'intérieur d'une certaine abstraction. La réconciliation de la philosophie et de la poésie qui s'accomplit à l'intérieur du roman, à son niveau d'incandescence fait entrer en jeu les mathématiques.

Je ne puis commencer à rédiger un roman qu'après en avoir étudié pendant des mois l'agencement, qu'à partir du moment où je me trouve en possession de schémas dont l'efficacité expressive par rapport à cette région qui m'appelait à l'origine me paraît enfin suffisante. Muni de cet instrument, de cette boussole, ou, si l'on préfère, de cette carte provisoire, je commence mon exploration, je commence ma révision, car ces schémas eux-mêmes dont je me sers, et sans lesquels je n'aurais pas osé me mettre en route, ce qu'ils me permettent de découvrir m'oblige à les faire évoluer, et ceci peut se produire dès la première page, et peut continuer jusqu'à la dernière correction sur épreuves, cette ossature évoluant en même temps que l'organisme entier, que tous ces événements qui font les cellules et le corps du roman, chaque changement de détail pouvant avoir des répercussions sur l'ensemble de la structure.

Je ne sais par conséquent ce qui se passe dans un livre, je ne deviens capable de le résumer à peu près, qu'une fois qu'il est terminé.

Cette prise de conscience du travail romanesque va, si j'ose dire, le dévoiler en tant que dévoilant, l'amener à produire ses raisons, développer en lui les éléments qui vont montrer comment il est relié au reste du réel, et en quoi il est éclairant pour ce dernier ; le romancier commence à savoir ce qu'il fait, le roman à dire ce qu'il est.

Mais cette réflexion qui se produit à l'intérieur du
livre n'est que le commencement d'une réflexion publique
qui va éclairer l'écrivain lui-même. Il cherche à se constituer, à donner une unité à sa vie, un sens à son existence. Ce sens, il ne peut évidemment le donner tout
seul ; ce sens c'est la réponse même que trouve peu à peu
parmi les hommes cette question qu'est un roman.

(1959)

LE ROMAN ET LA POÉSIE

1. *Problème.*

Étudiant, comme beaucoup, j'ai écrit quantité de poèmes. Ce n'était pas seulement distraction ou exercice; j'y jouais ma vie. Or, du jour où j'ai commencé mon premier roman, des années durant je n'ai plus rédigé un seul poème, parce que je voulais réserver pour le livre auquel je travaillais, tout ce que je pouvais avoir de capacité poétique ; et si je me suis mis au roman, c'est parce que j'avais rencontré dans cet apprentissage nombre de difficultés et contradictions, et qu'en lisant divers grands romanciers, j'avais eu l'impression qu'il y avait là une charge poétique prodigieuse, donc que le roman, dans ses formes les plus hautes, pouvait être un moyen de résoudre, dépasser ces difficultés, qu'il était capable de recueillir tout l'héritage de l'ancienne poésie.

Quand je prononce une telle phrase, j'ai le sentiment de heurter des habitudes de pensée françaises. Ailleurs, on emploie souvent le même mot pour désigner poète et romancier, mais en France la tradition scolaire, raide à l'extrême, divise la littérature en un certain nombre de « genres » bien séparés, le roman et la poésie constituant ce qu'il y a de plus opposé à l'intérieur de ce domaine.

2. *Exemple.*

L'adjectif « poétique » apporte en général avec lui
tout un nuage de malentendus, en particulier lorsqu'on
l'applique au roman. Voici donc un exemple :

> *La petite pièce dans laquelle le jeune homme fut introduit*
> *était tapissée de papier jaune. Il y avait des géraniums et des*
> *rideaux de mousseline aux fenêtres. Le soleil couchant jetait*
> *sur tout cela une lumière crue. La chambre ne renfermait rien*
> *de particulier. Les meubles, en bois jaune, étaient tous très*
> *vieux. Un divan avec un grand dossier renversé, une table de*
> *forme ovale vis-à-vis du divan, une toilette et une glace adossée*
> *au trumeau, des chaises le long des murs, deux ou trois gra-*
> *vures sans valeur qui représentaient des demoiselles allemandes*
> *avec des oiseaux dans les mains, — voilà à quoi se réduisait*
> *l'ameublement.*

Vous venez de lire ; il s'est produit un phénomène qui
vaut maintenant la peine de retenir notre attention
quelques instants. Lors de ma lecture, je suis en général
dans une chambre (vous saurez transposer pour n'importe quel autre décor), assis dans un fauteuil ; les murs
autour de moi ont une certaine couleur ; il y a des
meubles que mon regard peut rencontrer ; mais lorsque
je suis, comme on dit, « plongé » dans l'ouvrage, cette
chambre « actuelle » s'éloigne de moi, disparaît : ce que
je vois, si je regarde, je n'y prête plus attention, mes
yeux glissent. Les chaises qui sont devant eux, les
tableaux suspendus aux murs, sont comme effacés par
les objets suscités, « évoqués » au sens précis qu'avait ce
mot dans la magie, ces fantômes d'objets, cette chambre
fantôme qui hante la chambre réelle.

J'entre en même temps que le jeune homme dans une pièce tapissée de papier jaune.

3. *Glose.*

D'où vient ce singulier pouvoir, rendre absents les objets présents, cette « hantise », comment la chambre imaginaire peut-elle s'imposer à ce point ?

Il faut naturellement que les différents éléments qui constituent cette description soient liés les uns aux autres par quelque nécessité, se coagulent en un stable fantasme.

Il y a d'abord cette « composition » qui enchaîne leurs formes, comme dans une nature morte hollandaise ; mais si cette chambre m' « apparaît » si fortement, c'est qu'elle est elle-même un mode par lequel m'apparaît autre chose, c'est que ces objets sont à leur tour des « mots ».

Car l'auteur a choisi cette couleur spécialement, ces meubles, parce que tout cela va me renseigner sur l'époque où se passe l'histoire, le milieu où elle se déroule, les habitudes de vivre et de penser de la personne qui habite là, sur sa situation de fortune. Non seulement ses gestes, sa conduite diurne nous sont ainsi définis, mais parmi ces objets il en est d'un type particulier (analogues de la description même) qui vont nous révéler ce qui la hante elle aussi lorsqu'elle ne prête plus attention à ce local,

objets qui pour elle-même représentent autre chose,

« œuvres d'art » dérisoires sans doute, « œuvres d'art » pourtant, propres à une certaine époque, un milieu, une classe, un âge,

là pour aider cette personne à vivre, à se survivre,
ces « gravures sans valeur qui représentent des demoiselles allemandes avec des oiseaux dans les mains »,
ses rêves.

Replacés dans le livre d'où on l'a détachée, cette page
est à un point critique de l'histoire ; les éléments ici
rassemblés nous les retrouverons dans d'autres pages
importantes, des personnages repasseront dans ce lieu ;
elle est un nœud de toute cette architecture. Aussi la
relisant après avoir lu l'œuvre entière, c'est toute celle-ci
qui réapparaîtra, appelée, évoquée, par ces quelques
mots.

Et si nous replaçons l'ouvrage dans l'œuvre entier de
son auteur, nous retrouverons dans d'autres passages
nodaux des détails du même genre :

*Il y avait sur la fenêtre une profusion de géraniums, et le
soleil rutilait avec un éclat terrible...*

constantes de son imagination, dont je pourrai étudier
le pourquoi, par là déchiffrer ce qu'il nous cache parfois,
ce qui de lui était caché même à lui-même, grille ou
rébus nous permettant de pénétrer dans son intimité la
plus profonde.

Devant un tel pouvoir, d'autant plus grand que je
serai mieux capable de situer le texte en question dans
le temps de son auteur, devant ce prodigieux déploiement peu à peu de tout un monde, de tout notre monde
se proposant ainsi indéfiniment à l'analyse, ne suis-je
pas obligé d'employer l'adjectif « poétique » ?

Lorsque je dis qu'un paysage est poétique, n'est-ce pas
que devant ce spectacle je me trouve emporté, ces maisons que je vois, ou ces vagues, je les dépasse, elles

m'obligent elles-mêmes à les quitter, font se dérouler
pour moi toutes sortes d'autres rivages, que ce lieu en
contient une infinité d'autres, qu'il ne reste pas tel qu'il
est, n'est pas fermé en lui-même, est à l'origine pour moi
de tout un voyage ; de même cette description, origine
pour moi de tout un voyage dans l'histoire et l'esprit.

4. *Refus.*

Mais pour qu'un tel développement se puisse produire,
il faut, lorsque l'auteur nous dit que le jeune homme
entre dans la chambre que nous acceptions, complices,
d'y entrer avec lui ; celui qui s'y refuse se privera naturellement de toute cette richesse.

Or, si je vous ai cité ce texte, c'est parce qu'il a été
choisi comme l'exemple même de ce qui est le plus contraire à la poésie par un homme que je considère comme
une des plus hautes autorités dans ce domaine, non seulement grand poète lui-même, mais critique merveilleu-
sement sensible à la poésie où qu'elle se trouve, qui,
presque toujours, lorsqu'il en parle, sait me convaincre,
mais qui « refuse » ici tout simplement de voir.

Il nous déclare, après avoir fermé ses guillemets :

> *Que l'esprit se propose, même passagèrement, de tels motifs,
> je ne suis pas d'humeur à l'admettre. On soutiendra que ce
> dessin d'école vient à sa place, et qu'à cet endroit du livre l'auteur
> a ses raisons pour m'accabler. Il n'en perd pas moins son temps,
> car je n'entre pas dans sa chambre.*

L'exemple est tiré d'une traduction de *Crime et Châ-
timent* de Dostoïevski ; il est cité par André Breton
dans le premier *Manifeste du Surréalisme*.

5. *Raisons*.

Si nous étudions l'opposition générale de Breton au roman, nous trouverons chez lui, remarquablement formulées, un certain nombre des objections faites couramment aux œuvres les plus intéressantes de la littérature contemporaine par des critiques, apparemment, d'un tout autre bord.

Ces résistances, il est plus intéressant de les attaquer lorsqu'elles se présentent sous toutes leurs armes les plus brillantes ; c'est pourquoi je vais reprendre un peu plus haut le texte de ce *Manifeste :*

L'attitude réaliste, dit-il, m'a bien l'air hostile à tout essor intellectuel et moral. Je l'ai en horreur, car elle est faite de médiocrité, de haine et de plate suffisance. C'est elle qui engendre ces lignes ridicules, ces pièces insultantes. Elle se fortifie sans cesse dans les journaux et fait échec à la science et à l'art en s'appliquant à flatter l'opinion dans ses goûts les plus bas. La clarté confinant à la sottise, la vie des chiens. L'activité des meilleurs esprits s'en ressent. La loi du moindre effort finit par s'imposer à eux comme aux autres. Une conséquence plaisante de cet état de choses, en littérature par exemple, est l'abondance de romans. Chacun y va de sa petite observation. Par besoin d'épuration, M. Paul Valéry proposait dernièrement de réunir en anthologie un aussi grand nombre que possible de débuts de romans de l'insanité desquels il attendait beaucoup. Les auteurs les plus fameux seraient mis à contribution. Une telle idée fait encore honneur à Paul Valéry qui, naguère, à propos de romans, m'assurait qu'en ce qui le concerne, il se refuserait toujours à écrire : « La marquise sortit à cinq heures ». Mais a-t-il tenu parole ?

(Remarquons en passant que cette phrase, une des plus souvent citées de Paul Valéry, ne se trouve point dans ses œuvres, mais seulement ici, à lui attribuée par

Breton) qui poursuit, dans cette langue « superbe », avec cette magnifique insolence qui n'est comparable qu'à celle des préfaces de Racine :

> *Si le style d'information pure et simple, dont la phrase précitée offre un exemple, a cours presque seul dans les romans, c'est, il faut le reconnaître, que l'ambition des auteurs ne va pas très loin. Le caractère circonstanciel, inutilement particulier de chacune de leurs notations me donne à penser qu'ils s'amusent à mes dépens. On ne m'épargne aucune des hésitations du personnage : sera-t-il blond, comment s'appellera-t-il, irons-nous le prendre en été? Autant de questions résolues une fois pour toutes au petit bonheur. Il ne m'est laissé d'autre pouvoir discrétionnaire que de fermer le livre, ce dont je ne me fais pas faute aux environs de la première page. Et les descriptions! Rien n'est comparable au néant de celles-ci. Ce n'est que superposition d'images de catalogues. L'auteur en prend de plus en plus à son aise. Il saisit l'occasion de me glisser ses cartes postales, il cherche à me faire tomber d'accord avec lui sur des lieux communs.*

(Max Ernst, par exemple, n'avait-il pas déjà montré dans *Les Malheurs des immortels* quelle poésie on peut faire jaillir de la « superposition d'images de catalogues », ne devait-il pas le montrer bien mieux encore dans ses grands « romans » par collages?) ; ici vient la citation de Dostoïevski. Après avoir refusé d'entrer dans la chambre, Breton s'explique :

> *La paresse, la fatigue des autres ne me retiennent pas. J'ai de la continuité de la vie une notion trop instable pour égaler aux meilleures mes minutes de dépression, de faiblesse. Je veux qu'on se taise quand on cesse de ressentir. Et comprenez bien que je n'incrimine pas le manque d'originalité pour le manque d'originalité, je dis seulement que je ne fais pas état des moments nuls de ma vie, que, de la part de tout homme, il peut être indigne de cristalliser ceux qui lui paraissent tels. Cette description de chambre, permettez-moi de la passer, avec beaucoup d'autres.*

A cela, tout romancier se rebiffe. Il n'est pas question de permettre au lecteur de passer cette description de chambre. Certes, lors d'un premier parcours rapide, ce à quoi se bornent malheureusement tant de critiques, on saute normalement bien des mots, des phrases, des pages, mais il faut absolument y revenir ; si cette description est là, c'est parce qu'elle est indispensable.

A vrai dire, nous voyons déjà de quelle façon, dans ses formes les plus hautes, le roman répond d'avance aux objections ici formulées. Lorsque Breton déclare que « l'ambition des auteurs ne va pas très loin », parle du « caractère circonstanciel, inutilement particulier de chacune de leurs notations », de « questions résolues une fois pour toutes au petit bonheur », le moins qu'on puisse dire, c'est qu'il a singulièrement mal choisi son exemple.

Mais il y a plus sérieux. Le cœur de l'affaire, c'est ce dernier passage où il nous explique pourquoi il ne veut même pas lire véritablement une telle page. Il y a là plusieurs phrases qui vont dans la même direction, nous signalent une distinction fondamentale entre deux sortes de moments : les uns intéressants, brillants, qu'il vaut la peine de « cristalliser », les autres « nuls », dont il ne faut pas parler.

6. *Prosodie.*

Lorsqu'un petit enfant emploie pour la première fois le mot « poésie », rentrant de classe, répondant à ses parents qui lui demandent « Qu'as-tu fait ce matin ? » — « Nous avons lu une poésie », nous savons bien que ce mot a pour lui un sens précis que ses parents comprennent sans la moindre hésitation. A son entrée dans le vocabulaire du jeune individu, il n'a aucune ambiguïté.

Une « poésie », c'est un texte qui se présente comme différent des autres, avant même qu'on en ait compris la signification, qui, dans le livre de lecture, a une présentation typographique différente, imprimé en « lignes inégales » (on estimait au xviie siècle que c'était là une définition suffisante) et, en dehors du livre, se fait reconnaître comme différent des paroles habituelles, par exemple grâce à son rythme.

L'ensemble des moyens utilisés pour obtenir cette distinction préalable est ce qu'on appelle une prosodie, et il est possible de faire toute une histoire de la poésie française en se fondant sur l'évolution de ces moyens.

7. *Du luth à l'image.*

Au Moyen Age, le trouvère qui va chanter dans les châteaux, s'accompagne d'un instrument, sonne un accord avant sa strophe, la clôt d'un autre. Ces éclats musicaux du luth ou de la viole sont comme les parenthèses qui vont encadrer le poème, l'isoler du reste du monde. Peu à peu l'instrument est entré dans le texte ; nous aurons une prosodie fondée sur le nombre de syllabes et cette rime qui termine le vers un peu comme la sonnerie nous avertit, quand nous tapons à la machine, que cette ligne est terminée.

Cette prosodie classique s'est entièrement dégradée au cours du xixe siècle, et a été remplacée par une autre de type tout différent qui poursuit ce processus d'intériorisation, fondée, elle, sur les rencontres exceptionnelles de mots, ce qu'on appelle aujourd'hui des « images

poétiques », frappant notre imagination avant même que
nous soyons capables de les traduire comme symboles,
allégories, ou métaphores descriptives. Soit le vers de
Hugo :

> *Le pâtre promontoire au chapeau de nuées,*

ces juxtapositions « pâtre promontoire », « chapeau de
nuées » qui ne se produisent pas dans la conversation
habituelle, isolent le texte avant même que nous ayons
visualisé le paysage, rendu au pâtre son chapeau, cou-
vert de nuées le promontoire.

Eluard cite, dans *Premières Vues anciennes :*

> « *Ta langue le poisson rouge dans le bocal de ta voix* »,

et commente :

> *Impression du déjà-vu, justesse apparente de cette image
> d'Apollinaire. Il en va de même pour :*
> « *Ruisseau, argenterie des tiroirs du vallon* »
> *de Saint-Pol Roux.*
> *Un mot n'exprime jamais complètement son objet. Il ne peut
> qu'en donner idée, que le représenter sommairement. Il faut se
> contenter de quelques rapports simples : la langue et le poisson
> rouge sont mobiles, agiles, rouges; ruisseau-argenterie rajeunit
> à peine la métaphore banale du ruisseau aux flots d'argent.
> Mais à la faveur de ces identités élémentaires, de nouvelles
> images, plus arbitraires parce que formelles, se composent :
> le bocal de ta voix, les tiroirs du vallon. On perd de vue ta
> langue de ta voix, le poisson rouge dans le bocal, le ruisseau du
> vallon, l'argenterie des tiroirs, pour ne s'attacher qu'à l'inattendu
> qu'à ce qui frappe et paraît réel, l'inexplicable : le bocal de ta
> voix, les tiroirs du vallon.*

A ceci près qu'Eluard met manifestement la charrue
avant les bœufs, car la rencontre « tiroir du vallon », qui
rend à chacun des mots composants son pouvoir évoca-

teur, nous a frappés avant que nous ayons rétabli l'ordre habituel « ruisseau du vallon » qui restitue au vers sa valeur narrative.

La poésie surréaliste prendra l'image comme unique soutien prosodique ; elle est entièrement formée d'une succession de telles rencontres aussi contrastées que possible ; il est facile de montrer que c'est là une prosodie tout aussi rigoureuse que celle des épîtres de Boileau, et c'est presque une plaisanterie de dire qu'un texte surréaliste se reconnaît comme tel, et comme poétique, avant qu'on en comprenne le propos, qu'on soit capable d'en élucider le contenu.

Mais cette prosodie a un défaut par rapport à la classique : à l'intérieur de l'alexandrin, on pouvait faire entrer n'importe quoi, parler de tout, donner des explications. Dans la poésie surréaliste, cela n'est plus possible ; malgré toute sa « beauté », elle est condamnée à une certaine obscurité, elle a besoin des commentaires du poète qui va être obligé pour l'éclaircir de nous apprendre dans quelles circonstances il l'a composée, c'est-à-dire de la re-situer au milieu de la vie quotidienne, de ces moments nuls dont parlait Breton. Prenons pour exemple sa *Nuit du tournesol* et le commentaire qu'il en a donné dans *L'Amour fou*.

8. *Séparé : sacré.*

Pourquoi donc cette prosodie, pourquoi cet « isolement préalable », étroitement relié, nous le sentons bien, à cette « séparation » entre certains « moments » et les autres.

« C'est sacré », c'est-à-dire qu'il n'y faut pas toucher,

qu'on ne peut le confondre avec le reste. Nous entourons cela d'une barrière, d'une enceinte.

Toute société a ses difficultés, ses problèmes, ses contradictions qu'on ne peut pas résoudre immédiatement dans la réalité, mais qu'il est indispensable d'apaiser, de calmer sur le plan de l'imaginaire. Il y faut une explication : lorsque ces explications nécessaires sont à notre point de vue de pures fictions, ne nous satisfont plus, nous les appelons mythes.

Ce sont des récits étroitement reliés à un certain nombre d'aspects de cette société, nécessaires à sa marche, cela même qui lui permet de survivre.

Si ces récits sont oubliés ou déformés, la société même va se dissoudre ; il faut donc qu'ils soient conservés très soigneusement, et que tout le monde soit d'accord sur eux. C'est une région du langage qui doit être absolument stable et solide.

Au contraire, les récits que nous nous faisons à nous-mêmes, ceux que nous nous faisons les uns aux autres tous les jours, non seulement il n'est pas utile de les conserver tous, mais pour la plupart il est nécessaire de les oublier. Il faut que les nouvelles de la veille soient remplacées par celles du matin. Il faut perpétuellement oublier ce qui était vrai hier, pour ne plus retenir que ce qui est vrai aujourd'hui.

Le langage profane va par conséquent s'effacer constamment et, dans cet effacement perpétuel, il est inévitable que les mots changent leur sens et le perdent peu à peu. Ils vont évoluer dans des directions différentes, et bientôt les gens de deux quartiers d'une même ville emploieront les mêmes mots pour désigner tout autre chose. Comment va-t-il être possible pour s'entendre, de retrouver le « sens commun » de ces mots-là ?

Eh bien, on se référera à des phrases, à des récits dont on est sûr qu'ils sont communs, à des textes qui, eux, ne sont pas la proie de cette continuelle dégradation, déportation.

Dans la civilisation islamique, le Coran, c'est-à-dire le texte sacré par excellence, est appelé le « dictionnaire des pauvres ». Cela veut dire que chaque fois qu'il y aura une discussion entre deux personnes sur le sens qu'il convient d'attribuer à un mot, sens qui peut avoir divergé considérablement dans l'évolution normale de la langue, on pourra se référer à ce texte, qui, lui, ne bouge pas, est bien conservé, et que tout le monde est censé connaître.

Vous savez quel rôle a joué dans les pays anglo-saxons la traduction classique de la Bible comme référence linguistique première.

Il s'agit donc de pouvoir remettre ce mot dans son « contexte absolu », pour le recharger du sens qu'il perd.

Le langage sacré est ainsi le garant de la signification du langage profane. Comme il serait « mortel » de le confondre avec un texte profane, il faut que le texte sacré s'en distingue le plus fortement possible par une « forme » qui en même temps le conservera. Très rapidement, le langage sacré deviendra archaïque par rapport au langage profane, qui souvent se constituera des références secondes, et cette évolution peut se poursuivre jusqu'à ce que le sacré s'exprime dans une société par une langue entièrement différente de la langue parlée dans la rue, avec laquelle elle n'aura plus un seul mot « commun » ; on sera donc obligé de la traduire. C'est la situation que nous rencontrons dans l'Occident chrétien, où la langue sacrée est « morte », le latin, commune par rapport à toutes les langues « vulgaires » comme on

disait au moment où cette « mort » s'est avérée comme
définitive.

En ce cas la langue sacrée, les textes sacrés ne peuvent
plus remplir leur office de garants de la signification du
langage profane que par l'intermédiaire d'instances
sacrées secondaires qui vont parfois se retourner contre
les premières, d'où le rôle essentiel dans l'Occident
« classique » des humanités, et cet axiome sous-jacent
à notre enseignement secondaire d'autrefois que « l'on
ne peut vraiment connaître le français si on ne fait pas
de latin », le latin littéraire se substituant sournoisement
au latin d'église comme garant de la signification de nos
mots.

9. *Règne des dieux, leur abandon.*

Tous les moments importants de la vie de la société
seront reliés étroitement à sa mythologie, les jours
importants séparés des autres jours, on s'y comportera
autrement, ce seront des fêtes au cours desquelles on
« représentera » ces mythes, on donnera lecture ou réci-
tation de ces textes.

Tous les moments importants de la vie de l'individu
seront aussi « consacrés », séparés des autres moments
par des cérémonies ; ainsi la naissance, le mariage, la
mort.

Tout ceci dans des lieux distincts : temples, églises,
séparés du reste de l'espace par des enceintes et pros-
criptions. Les personnages importants se séparent du
reste des « mortels » : le roi se présentant, soit comme l'un
des dieux, comme dans l'Égypte ancienne, soit comme
désigné par les dieux, comme dans la plupart des civi-

lisations. Ceux qui s'occupent spécialement de ce domaine séparé se sépareront eux aussi : les prêtres auront un costume propre, des règles morales particulières.

Tout le monde profane sera équilibré par ce contrepoids qui s'applique à lui dans tous ses détails et à tous ses moments, par ce monde sacré qui pour nous en est l'œuvre (nous disons que les Grecs ont « inventé » leurs dieux) mais qui pour la société même apparaît nécessairement comme cela dont elle est l'œuvre (les Grecs disaient que les dieux les avaient inventés).

Une civilisation dans laquelle les éléments sacrés jouent parfaitement leur rôle, assurent la parfaite stabilité du monde profane, c'est ce que les ethnologues appellent une « société primitive », et nous savons bien que cela n'existe que comme idéal ; toutes les sociétés réellement sont plus compliquées que cela ; le monde sacré, mythologique, est lui-même rempli de contrdictions.

C'est que les sociétés ne restent pas isolées les unes des autres, elles se rencontrent, se font la guerre ou commercent, et ce ne sont pas seulement leurs éléments « réels » qui vont se heurter, s'échanger, armes ou produits, soldats ou marchands, mais les imaginaires, leurs dieux.

Il va donc se produire un « jeu » entre les représentations sacrées et l'existence quotidienne. Bientôt l'individu va subir un désordre mythologique. Il ne saura plus exactement quels sont les moments importants, hésitera entre deux ou trois ensembles de fêtes, de temples, de prêtres ; il ne saura plus comment il convient de consacrer les nœuds de sa propre vie, à quel dieu s'adresser, se vouer.

10. *C'est ici qu'apparaît la littérature.*

Au moment où naît le théâtre grec (bien sûr déjà aux temps d'Homère), la situation mythologique est devenue fort confuse, et le dessein premier d'un poète comme Eschyle dans *l'Orestie*, c'est d'essayer de remettre un peu d'ordre dans ce chaos, c'est de « juger » entre les dieux, sortir de cette désastreuse nuée.

La poésie se déploie toujours dans la nostalgie d'un monde sacré perdu. Le poète est celui qui se rend compte que le langage, et avec lui toutes choses humaines, est en danger. Les mots courants n'ont plus de garantie ; s'ils perdent leur sens, tout se met à perdre son sens — le poète va essayer de le leur rendre.

Ne sachant plus comment distinguer les moments importants des autres, comment les consacrer, perdu au milieu de cérémonies contradictoires et inefficaces, il va s'efforcer, lorsqu'un « moment » lui affirmera son importance, de le consacrer lui-même en le racontant sous une forme qui soit comparable à celle des anciens « textes » (*textus*: tissu, enlacement, contexture), telle que ses paroles ne puissent pas se défaire, s'effilocher aussi facilement qu'à l'habitude.

Ainsi Lamartine dans *Le Lac:* un moment de son existence qui s'isole comme ayant une importance considérable ; il fait un poème pour que ce moment ne soit pas oublié, emploie une prosodie stricte pour que ceux qui répéteront ce poème, rediront ce langage, ne le transforment pas, déforment pas.

11. *L'Age d'Or.*

Avec ces fragments de la réalité qui se détachent pour lui du reste, il va essayer de reconstituer un âge d'or perdu, avec ces moments merveilleux, ces endroits merveilleux, ces hommes merveilleux ou ces femmes, un paradis perdu, une vie antérieure, un temps à retrouver, en les tissant les uns aux autres par la chaîne d'une prosodie.

La poésie, par conséquent, est d'abord cette garantie retrouvée du sens des mots et de la conservation des paroles, la clef perdue ; à cela se lieront bien d'autres vertus.

Lorsque le poète est « tout près » de dire quelque chose, a une expression « sur le bout de la langue », eh bien, s'il écrit en alexandrins, cette expression va avoir, par exemple, une syllabe de trop, ne pourra pas entrer dans cette forme à laquelle il se fie ; il sera obligé de s'arrêter, de penser à ce qu'il allait dire.

Ces mots qu'il allait employer tout naturellement, sans y réfléchir, comme « à l'habitude », il doit maintenant leur chercher un équivalent, les considérer, les interroger, les voir autrement. Ainsi l'emploi d'une forme rigoureuse va pouvoir pulvériser les mauvaises pentes du langage courant par lesquelles les mots perdent leur sens, les mots, les choses, les événements, les lois.

Les mots apparaissant dans cette nouvelle lumière, le poète contraint d'en chercher d'autres, devra partir en quête d'autres « moments », « fragments » pour remplir cette forme exigeante, ce devoir ; la prosodie le forcera à l'invention ; le vers, la strophe ou le sonnet inachevés exigeant de lui qu'il les comble, il va explorer

ce qui l'entoure avec cette espèce d'instrument, de filet,
de piège, grâce à quoi il va tout d'un coup capter quelque
chose à quoi il ne pensait pas auparavant. Le monde
entier apparaîtra autrement.

Cette reconstitution d'un âge d'or, on ne pourra jamais
l'arrêter à un moment précis du passé. Chaque fois que le
poète essaiera de s'y installer, il se produira la même distinction entre ce qui va permettre de retrouver le paradis
et ce qu'il faut laisser de côté. Le mouvement de la
pensée poétique, d'abord retour vers un certain passé
perdu, va être indéfiniment renvoyé plus loin, à tel point
qu'il ne pourra trouver de repos qu'en dehors du monde
et du temps, *anywhere out of the world,* dans une utopie,
ou une « uchronie » si vous préférez, pour reprendre
l'heureuse invention du philosophe Renouvier, dans cet
en dehors de l'histoire qui va se présenter justement
comme « ce que nous désirons ». Cette réminiscence et
cette nostalgie débouchent soudain sur notre avenir.

Ainsi la poésie, critique de la vie présente, nous pro-
pose-t-elle son changement.

12. *Le quotidien.*

Quelle tentation dès lors de lancer l'anathème contre
le romancier qui, lui, du jour où il a pris son visage de
« réaliste », insiste pour nous parler de moments ordinaires, de personnages quelconques dans des milieux
quelconques, cela avec leurs propres mots.

Balzac ressent si bien l'opposition qu'il nous déclare,
au début du *Père Goriot :*

*Après avoir lu les secrètes infortunes du Père Goriot, vous
dînerez avec appétit en mettant votre insensibilité sur le compte*

de l'auteur, en le taxant d'exagération, en l'accusant de poésie.
Ah ! sachez-le : ce drame n'est ni une fiction, ni un roman.
All is true, *il est si véritable que chacun peut en reconnaître*
les éléments chez soi, dans son cœur peut-être.

En l'« accusant » de poésie. La vie de tous les jours
dans le langage de tous les jours. Pour le poète, c'est là
le péché originel du roman, car, si l'on peut très bien
imaginer que tous les poètes soient irremplaçables, qu'il
vaille la peine d'étudier chaque poème pour lui-même,
il est inévitable, si le roman veut efficacement nous présenter des aventures quelconques dans un langage quelconque, qu'il y ait quantité de romans quelconques,
c'est-à-dire qui puissent être indifféremment remplacés
les uns par les autres, et qu'il ne vaut la peine d'étudier
qu' « en masse ».

Le roman sous sa forme actuelle ne commence véritablement que du jour où la découverte de l'imprimerie a
permis au livre de devenir un objet manufacturé reproduit à un grand nombre d'exemplaires parfaitement
équivalents.

Cette foule romanesque, c'est le fumier, le terreau, sur
lequel l'aventure des grands romans va pouvoir germer
et fleurir. Dans la banalité que nous traversons tous, de
temps en temps un personnage se détache. De même,
dans le roman, croisant ces individus de tous les jours,
tel se détachera naturellement : quelqu'un comme on
n'en rencontre pas souvent ; et les pages où il apparaîtra
se détacheront elles aussi des autres pages ; il parlera
un langage différent.

13. *Passages.*

Dans un roman, tout le monde le sait bien, et Breton
le premier, il peut y avoir des passages poétiques, lesquels, cueillis par les ciseaux de l'anthologiste, se présen-
teraient comme des poèmes en prose ou même en vers.
Baudelaire dit à Arsène Houssaye, dans la dédicace du
Spleen de Paris, qu'il « ne suspend pas la volonté rétive
de son lecteur au fil interminable d'une intrigue super-
flue ». Autant déclarer qu'il y a dans son livre un roman,
mais dont il a retranché tout ce qui n'était pas immédiatement poétique. Nous retrouvons le sentiment : « Cette
description de chambre, permettez-moi de la passer,
avec beaucoup d'autres. »
    La citation de Dostoïevski a été faite d'après une tra-
duction ancienne, peu fidèle. La merveilleuse perspica-
cité de Breton fait que la consultation d'une traduction
plus soignée rend son exemple meilleur encore en apparence pour son propos, en profondeur pour le nôtre. Le
texte intégral est comme traversé par un éclair d'inha-
bituel, la réflexion involontaire de Raskolnikov. Voici ce
passage restitué dans la traduction de Jean Chuzeville :

La chambre, plutôt petite, dans laquelle passa le jeune homme,
était tapissée d'un papier jaune. Il y avait des géraniums et des
rideaux de mousseline aux fenêtres. A cette heure le soleil cou-
chant la baignait d'une vive clarté.
    « Alors aussi le soleil sans doute brillera de même ! » se dit
involontairement Raskolnikov et, d'un regard rapide, il em-
brassa l'ensemble de la pièce pour la graver autant que possible
dans sa mémoire. Mais cette chambre n'avait rien de très spécial.
Le mobilier suranné en bois jaune se composait d'un divan au
large dossier de bois cintré, d'une table de forme ovale placée
près de ce divan, d'une table de toilette avec un miroir accroché

à la cloison, de quelques chaises le long des murs et de deux ou trois tableaux sans valeur représentant, sous leurs cadres défraîchis, des demoiselles allemandes qui tenaient entre leurs mains des oiseaux. C'était là tout l'ameublement. Une veilleuse dans un coin brûlait devant la petite icône.

Et lorsque les géraniums à la fenêtre, éclairés par le soleil, reparaîtront dans la *Confession de Stavroguine*, la même émotion les accompagnera dans le cœur du criminel :

Au bout d'une minute, je regardai ma montre et notai l'heure aussi exactement que possible. Pourquoi avais-je besoin de tant de précision? — je l'ignore, mais j'eus la force de le faire et en général, à ce moment-là, je voulais tout observer minutieusement...

Je pris un livre que je rejetais, et me mis à considérer une minuscule araignée rouge sur une feuille de géranium. Je me perdis dans cette contemplation...

A l'instant même où je me levais sur la pointe des pieds, je me souvins qu'alors que j'étais assis à la fenêtre et regardais l'araignée rouge, perdu dans ma rêverie, je pensais précisément à la manière dont je me dresserais sur la pointe des pieds pour appliquer mon œil à cette fente.

Araignée rouge sur les géraniums, petit soleil atroce, qui « brillera de même » au point d'éclipser le soleil antérieur, la lumière de l'âge d'or, dans l'affreux réveil qui suit le rêve *Acis et Galatée :*

J'eus un rêve tout à fait inattendu pour moi, parce que jamais je n'avais rien vu de pareil. A Dresde, il y a au Musée un tableau de Claude Lorrain... Acis et Galatée. Je l'appelais toujours « L'Age d'Or »... C'est ce tableau que je vis en rêve...

Le soleil baignait de ses rayons et ces îles et cette mer, tout réjoui de ses beaux enfants... Je ne sais exactement de quoi j'ai rêvé, mais les rochers et la mer et les rayons obliques du soleil

*couchant, tout cela je crus le revoir quand je m'éveillai et que
pour la première fois de ma vie, je rouvrai des yeux mouillés de
larmes... Par la fenêtre de ma petite chambre, à travers les
plantes qui fleurissaient là, tout un faisceau d'étincelants
rayons projetés de biais par le soleil couchant m'inondait de sa
lumière. Je me hâtai de refermer les yeux, comme avide de retrouver le songe évanoui. Mais soudain, au centre de l'éclatante
lumière, j'aperçus un point minuscule. Ce point se mit à prendre
forme, et tout à coup m'apparut distinctement une petite araignée rouge. Elle me rappela aussitôt celle que j'avais vue sur la
feuille de géranium, alors que se répandaient aussi les rayons
du soleil couchant. Quelque chose sembla s'enfoncer en moi, je
me dressai et m'assis sur mon lit. Voilà donc comment tout cela
était arrivé jadis !*

14. *Une prosodie généralisée.*

Mais ce n'est pas seulement par passages que le roman
peut et doit être poétique, c'est dans sa totalité. Nous
savons déjà que chez les grands romanciers, ces passages
immédiatement saisis comme « poétiques », aussi bien
chez Balzac que chez Stendhal ou Dostoïevski, sont
étroitement liés aux autres, qu'ils perdent beaucoup de
leur poésie à être détachés, liés en premier lieu par un
« élément » identifié depuis longtemps, le style, c'est-
à-dire justement ce qui permet de reconnaître un
auteur, de le distinguer, principe de choix à l'intérieur des
possibilités de la langue, du vocabulaire, des formes
grammaticales, parfois si rigoureux qu'on peut le traduire par des chiffres, établir par exemple les fréquences
de certains mots, suivre l'évolution de celles-ci (c'est un
des moyens qui ont permis d'introduire un peu d'ordre
dans la chronologie des dialogues de Platon).

*La forme appelée vers est simplement elle-même la littérature;
que vers il y a dès que s'accentue la diction, rythme dès que style*

dit Mallarmé. Dès que cette notion deviendra cons-
ciente, que l'écrivain s'appliquera par exemple à suivre
un certain rythme, elle jouera comme l'équivalent d'une
prosodie avec tout ce que cela implique.

Mais le style, ce n'est pas seulement la façon dont les
mots sont choisis à l'intérieur de la phrase, mais celle
qu'ont les phrases de se suivre les unes les autres, et les
paragraphes, et les épisodes. A tous les niveaux de cette
énorme structure qu'est un roman, il peut y avoir style,
c'est-à-dire forme, réflexion sur la forme, et par conséquent prosodie. C'est cela qu'on appelle, à propos du
roman contemporain, la « technique ».

Nous voici devant une prosodie généralisée, grosse
d'aventures inouïes, par rapport à laquelle les anciennes
« règles » ne sont que des balbutiements.

Le poète, pour faire ses cristallisations merveilleuses,
emploie les mots de tous les jours, et l'objet de la poésie,
son acte même, c'est le salut du langage courant. Lorsqu'elle s'en est complètement isolée, on est à la veille
d'une révolution littéraire (Malherbe, Wordsworth, « J'ai
mis le bonnet rouge au vieux dictionnaire » de Hugo), où
elle reprendra force, tel Antée au contact de la terre sa
mère, dans ce bain de jouvence qu'est la voix de la rue. Ce
sont les mots de tous les jours auxquels le poète va rendre
leur sens, donner un sens nouveau, grâce aux «contextes»
dans lesquels il les saisit de façon si décisive.

Pourquoi en rester aux mots ? Pourquoi ne pas faire
la même chose à partir des phrases de tous les jours ? Si
nous sommes capables de les relier les unes aux autres à
l'intérieur de formes fortes, ces phrases, si banales à
première vue, vont se révéler comme ayant une signification que nous avions oubliée, ou que nous n'avions pas
su entendre.

Au niveau le plus simple, ces poèmes-conversations d'Apollinaire qui ont si souvent « sollicité » Breton :

LUNDI RUE CHRISTINE

La mère de la concierge et la concierge laisseront tout passer
Si tu es un homme tu m'accompagneras ce soir
Il suffirait qu'un type maintînt la porte cochère
Pendant que l'autre monterait
Trois becs de gaz allumés
La patronne est poitrinaire
Quand tu auras fini nous jouerons une partie de jacquet
Un chef d'orchestre qui a mal à la gorge
Quant tu viendras à Tunis je te ferai fumer du kief

ça a l'air de rimer

Des piles de soucoupes des fleurs un calendrier
Pim pam pim
Je dois fiche près de 300 francs à ma probloque
Je préférerais me couper le parfaitement que de les lui donner
. . .

La parenté d'un tel texte avec la description de la chambre chez Dostoïevski est éclatante. Il s'agit du genre de phrases que n'importe qui pourrait entendre le « lundi » c'est-à-dire un jour apparemment comme les autres, « rue Christine », c'est-à-dire dans une rue apparemment comme les autres. Le « ça a l'air de rimer » nous oblige à deviner une structure rythmique reposant en particulier sur des assonances qui assimile cet ensemble de notations à ce qu'était un poème autrefois. Si je compare ce texte au poème-conversation antérieur :

LES FEMMES

— Apporte le café le beurre et les tartines
La marmelade le saindoux un pot de lait

— *Encore un peu de café Lenchen s'il te plaît*
— *On dirait que le vent dit des phrases latines*

— *Encore un peu de café Lenchen s'il te plaît*
— *Lotte es-tu triste ô petit cœur* — *Je crois qu'elle aime*
— *Dieu garde* — *Pour ma part je n'aime que moi-même*
— *Chut à présent grand-mère dit son chapelet*
...

il devient évident qu'à la prosodie classique s'est substituée une prosodie de type surréaliste, mais qui joue sur les rencontres des phrases, non celles des mots. Ce qui est remarquable d'ailleurs, c'est que ces juxtapositions ne sont nullement données comme exceptionnelles, seulement comme ce à quoi nous ne faisons pas attention habituellement, absorbés que nous sommes dans un seul des dialogues dont les fragments sont ici rassemblés.

Et non seulement les phrases, mais des conversations entières vont pouvoir nous apparaître peu à peu comme toutes différentes de ce qu'elles semblaient d'abord. Ainsi ce sont des pans entiers de banalité, de réalité quotidienne, qui, transfigurés par la lumière des formes fortes, vont luire d'une phosphorescence inattendue.

15. *Poésie romanesque.*

La différence entre les passages immédiatement poétiques, c'est-à-dire où les mots sont puissamment reliés les uns aux autres, même si on les isole de l'ensemble, tels les poèmes extraits d'un roman inconnu qui forment *Le Spleen de Paris*, et les passages à première vue prosaïques, lesquels ne peuvent revêtir toutes leurs vertus que dans une lecture « suivie », qu'elle soit linéaire ou spatialisée, continue ou discontinue, dont rien ne saurait dispenser, cette différence est exactement analogue à celle qui sépare l'œuvre elle-même des romans ordinaires, de la foule romanesque, ou de la banalité quotidienne.

C'est-à-dire que le roman sera capable à l'intérieur de lui-même de montrer comment il apparaît, comment il se produit au milieu de la réalité. La poésie romanesque, ou si l'on préfère le roman comme poésie qui a su tirer la leçon du roman, sera une poésie capable de s'expliciter elle-même, montrer elle-même quelle est sa situation ; elle pourra inclure son propre commentaire.

Irremplaçable un grand roman, tous les événements ordinaires qu'il a saisis vont, par conséquent, de par sa vertu, prendre un caractère irremplaçable, mais le détachement se fait, non point par une enceinte extérieure interdisant à certains événements habituels, certains décors ennuyeux, vulgaires (*odi profanum vulgus et arceo*), d'entrer dans cette chasse gardée, mais par l'intermédiaire d'une structure qui va pouvoir intégrer tout ce qu'au premier abord nous pensions être sans intérêt. Le processus d'intériorisation de la prosodie que nous avions esquissé tout à l'heure s'y poursuit.

Mais s'il y avait d'un côté une structure, et d'autre part une « banalité » qui lui serait complètement indifférente, ces deux morceaux ne pourraient jamais se constituer en œuvre, et la structure en fait serait incapable de lier proprement les divers moments.

La poésie romanesque n'est donc possible que si cette banalité, ce que la plupart des gens considèrent en général comme une simple chose parmi d'autres, « équivalente », ne reste banale que pour qui n'a pas lu le livre, se révèle par conséquent au cours de la lecture attentive ou relecture comme ayant cette vertu singulière de désigner, d'être un exemple, un « mot » par rapport aux autres choses, grâce auquel on va pouvoir en parler, les comprendre.

Il faut donc que la structure interne du roman soit en communication avec celle de la réalité où il apparaît, spore de ce thalle.

Le romancier est alors celui qui aperçoit qu'une structure est en train de s'esquisser dans ce qui l'entoure, et qui va poursuivre cette structure, la faire croître, la perfectionner, l'étudier, jusqu'au moment où elle sera lisible pour tous.

Il est celui qui aperçoit que les choses autour de lui commencent à murmurer, qui va mener ce murmure jusqu'à la parole.

Cette banalité qui est la continuité même du roman avec la vie « courante », se révélant à mesure que l'on pénètre dans l'œuvre comme douée de sens, c'est toute la banalité des choses autour de nous qui va en quelque sorte se renverser, se transfigurer, sans qu'il se produise cet osytracisme systématique d'une partie d'entre elles, si caractéristique de la poésie « classique » (celle d'Horace ou de Breton).

La poésie romanesque est donc ce par l'intermédiaire de quoi la réalité dans son ensemble peut prendre conscience d'elle-même pour se critiquer et se transformer.

Mais cette ambition est liée à une modestie, car le romancier sait que son inspiration ne vient pas d'en dehors du monde, ce que le « pur » poète a toujours tendance à croire ; il sait que son inspiration, c'est le monde lui-même en train de changer, et qu'il n'en est qu'un moment, un fragment situé dans un endroit privilégié, par qui, par où l'accession des choses à la parole va avoir lieu.

L'ESPACE DU ROMAN

Depuis quelques années la critique commence à reconnaître la valeur privilégiée du travail romanesque dans l'exploration de la dimension temporelle, l'étroite parenté de cet art avec un autre se déployant avant tout dans le temps : la musique. A partir d'un certain niveau de réflexion, on est obligé de s'apercevoir que la plupart des problèmes musicaux ont des correspondants dans l'ordre romanesque, que les structures musicales ont des applications romanesques. Nous n'en sommes qu'aux premiers balbutiements de cette élucidation réciproque, mais la porte est ouverte.

Musique et roman s'éclairent mutuellement. La critique de l'un ne peut plus éviter d'emprunter une partie de son vocabulaire à celle de l'autre. Ce qui était jusqu'à présent empirique doit simplement devenir méthodique. Ainsi les musiciens ont tout avantage à lire des romans ; il sera de plus en plus nécessaire aux romanciers d'avoir des notions de musique. Tous les grands l'ont d'ailleurs au moins pressenti.

Quoi de plus normal ? Si le roman veut donner une représentation tant soit peu complète de la réalité humaine, lui donner sa propre image, et donc agir sur elle en vérité, il faut bien qu'il nous parle d'un monde où non seulement peut se produire l'avènement de la musique, mais où il est inévitable, qu'il nous montre comment les moments musicaux de certains personnages : écoute, étude, même composition, se lient au reste de leur existence, serait-ce à leur insu.

Eh bien, en ce qui concerne l'espace, son intérêt n'est pas moins grand, toute aussi étroite sa parenté avec les arts qui l'explorent, la peinture en particulier. Non seulement il peut, mais il doit à certains moments les inclure.

Certes l'inverse est concevable, et j'appelle de tous mes vœux une musique, une peinture, intégrant la matière romanesque, pouvant servir de critique à celle-ci.

Avant d'entrer dans le monde romanesque lui-même, celui qui nous est proposé par le livre, je voudrais essayer de préciser comment l'espace qu'il va déployer devant notre esprit s'insère dans l'espace réel où il apparaît, où je suis en train de le lire.

De même que toute organisation des durées à l'intérieur d'un récit ou d'une composition musicale : reprises, retours, superpositions, etc., ne peut exister que grâce à la suspension du temps habituel dans la lecture ou dans l'écoute, de même toutes les relations spatiales qu'entretiennent les personnages où les aventures qu'on me raconte ne peuvent m'atteindre que par l'intermédiaire d'une distance que je prends par rapport au lieu qui m'entoure.

Quand je lis dans un roman la description d'une chambre, les meubles qui sont devant mes yeux, mais que je ne regarde pas, s'éloignent devant ceux qui jaillissent ou transpirent des signes inscrits sur la page.

Ce « volume », comme on dit, que je tiens à la main,

libère sous mon attention des évocations qui s'imposent, qui hantent le lieu où je suis, me dépaysent.

Cet autre lieu ne m'intéresse, ne peut s'installer, que dans la mesure où celui où je me trouve ne me satisfait pas. Je m'y ennuie, c'est la lecture qui me permet de n'en pas sortir en chair et en os. Le lieu romanesque est donc une particularisation d'un « ailleurs » complémentaire du lieu réel où il est évoqué.

Tant que la surface de la terre n'était pas complètement explorée, cet au-delà de l'horizon connu qui ne pouvait pas ne pas hanter les esprits, s'emplissait tout naturellement des rêves. Au-dessus de la limite d'escalade, l'Olympe était le séjour des dieux. Toutes les *terrae incognitae* s'emplissaient de monstres horribles ou merveilleux : *hic sunt leones*. Ainsi tout l'« autre monde » d'un Dante, s'inscrit dans les lacunes de sa cosmologie, dans l'actuellement inaccessible, dans l'au-delà du plus lointain connu. Et il est de fait que toute exploration, ne ramenant de son périple que les animaux « différents », les épices, les minerais précieux, ce qui justement nous manquait, accentuait cette liaison entre lointain et fabuleux.

Toute fiction s'inscrit donc en notre espace comme voyage, et l'on peut dire à cet égard que c'est là le thème fondamental de toute littérature romanesque ; tout roman qui nous raconte un voyage est donc plus clair, plus explicite que celui qui n'est pas capable d'exprimer métaphoriquement cette distance entre le lieu de la lecture et celui où nous emmène le récit.

Mais lorsque le voyageur est loin de chez lui, qu'il est retenu dans ces îles dont il rêvait, c'est de sa patrie qu'il rêve alors, elle lui manque et lui apparaît sous des couleurs toutes renouvelées. A partir du moment où le lointain me devient proche, c'est ce qui était proche qui prend le pouvoir du lointain, qui m'apparaît comme encore plus lointain. La première grande époque du roman réaliste moderne, celle du roman picaresque espagnol ou élizabéthain, coïncide précisément avec celle des premières circumnavigations. La terre est ronde, et continuant encore plus loin dans la même direction, ce qui apparaîtra derrière l'horizon c'est mon point même de départ, mais tout nouveau.

La distance fondamentale du roman réaliste est donc non seulement voyage, mais périple ; cette proximité du lieu qu'on me décrit contracte en elle tout un voyage autour du monde.

La station que représente le lieu décrit dans ce voyage d'aller et retour inhérent à toute lecture peut avoir avec l'endroit où je me trouve des relations spatiales fort diverses ; la distance romanesque n'est pas seulement une évasion, elle peut introduire dans l'espace vécu des modifications tout à fait originales. Grâce à ce « volume » singulier, c'est la Province, c'est la Russie qui m'est présente. Les choses se disposent par conséquent autour de moi tout autrement. Avec quelle aisance je passe de pays en pays, ou même de maison en maison ! Dans la succession de ces lieux, quels jeux, quels chants ne peuvent-ils s'instaurer !

Chez un Balzac, la relation du lieu décrit avec celui où le lecteur est installé, revêt une importance toute particulière. Il a une conscience aiguë du fait que ce dernier est précisément situé, et il organise toute sa construction à partir de cette condition essentielle.

Balzac écrit d'abord pour ceux de Paris, et si nous voulons apprécier véritablement ce qu'il nous raconte, il nous faut, même si nous sommes ailleurs, nous reporter

à cette ville, point d'origine de toutes les distances qu'il
compose. Rappelons-nous l'introduction du *Père Goriot* :
après avoir fermé le livre, nous dit-il, « peut-être aura-
t-on versé quelques larmes intra muros et extra », ce
qui veut dire bien sûr intérieurement et ouvertement,
mais aussi, comme le précise la phrase suivante : « Sera-
t-il compris hors de Paris ? », à l'intérieur des murs de la
ville et hors de celle-ci ?

Souvent cette spatialité évocatoire reste très vague.
Les personnages qui nous parlent ou dont on nous parle
sont « quelque part » et c'est tout. Brume qui va bientôt
se différencier, car nous savons bien qu'on ne parle pas,
n'agit pas de la même façon dans un salon, une cuisine,
un bois ou un désert. Il faudra donc nous indiquer le
« décor », c'est-à-dire les qualités propres du lieu.

D'abord, comme au théâtre autrefois, il suffira d'une
pancarte « : lieu magnifique », « bosquet charmant »,
« forêt affreuse », « un coin de rue », « une chambre ». Spé-
cification qui s'affinera ; il faudra nous faire savoir quel
genre de chambre. Lieu magnifique, dites-vous, mais quel
style de magnificence ? Nous aurons besoin de détails,
qu'on nous présente un échantillon de ce décor, objet,
meuble, qui jouera un rôle d'enseigne. Quel genre de
chambre ? Celle où l'on peut trouver telle sorte de
chaise.

La présence ou l'absence d'un objet ; celle-ci peut
prendre valeur de signe. « Dans la chambre on voyait
une chaise, un mauvais lit, une armoire bancale, et
c'était tout » ; donc il n'y avait pas de table.

Jusqu'à présent, cette chambre qui se précise sous nos
yeux reste un contenant amorphe, une sorte de sac, où
les objets sont pêle-mêle, et d'où le narrateur les extrait
un à un, au hasard. Bientôt nous voudrons leurs situa-

tions : meubles serrés, meubles distants, entre lesquels on peut passer, auxquels on se heurte, que l'on voit bien, qui se cachent les uns les autres, ce qui est à droite, au-dessus, ce qui forme un coin isolé.

Pour réaliser une telle mise en place, on fera nécessairement intervenir des détails, ou des objets, dont on ne parlait pas d'habitude, de façon à constituer dans l'espace imaginé des figures précises et stables.

Un des moyens les plus efficaces est l'intervention d'un observateur, d'un œil, qui pourra être immobile et passif, auquel cas on aura des passages qui seront des équivalents de photographies, ou en mouvement et activité, nous aurons film ou bien peinture.

Plantant son chevalet ou sa caméra dans un des points de l'espace évoqué, le romancier retrouvera tous les problèmes de cadrage, de composition, et de perspective que rencontre le peintre. Comme lui, il pourra choisir entre un certain nombre de procédés pour exprimer la profondeur, l'un des plus simples étant la superposition claire de plusieurs de ces vues immobiles. Ainsi Balzac, lorsqu'il nous décrit la pension Vauquer, commence par nous imprégner de la couleur brune :

... rues serrées entre le dôme du Val-de-Grâce et le dôme du Panthéon, deux monuments qui changent les conditions de l'atmosphère en y jetant des tons jaunes, en y assombrissant tout par les teintes sévères que projettent leurs coupoles... La rue Neuve-Sainte-Geneviève surtout est comme un cadre de bronze, le seul qui convienne à ce récit, auquel on ne saurait trop préparer l'intelligence par des couleurs brunes...

Puis il nous installe dans la rue, en nous exposant ce que nous verrions :

... la maison tombe à l'angle droit sur la rue Neuve-Sainte-Geneviève où vous la voyez coupée dans sa profondeur...

Une vue frontale :

La façade, élevée de trois étages et surmontée de mansardes, est bâtie en moellons et badigeonnée avec cette couleur jaune qui donne un caractère ignoble à presque toutes les maisons de Paris. Les cinq croisées percées à chaque étage ont de petits carreaux et sont garnies de jalousies dont aucune n'est relevée de la même manière, en sorte que toutes leurs lignes jurent entre elles...,

complétée par celles d'autres faces ; puis l'intérieur, il nous montre quelles sont les communications entre les différents locaux de l'étage, dressant une sorte de plan d'architecte, de vue horizontale, ou plus exactement de coupe :

Ce salon communique à une salle à manger qui est séparée de la cuisine par la cage d'un escalier dont les marches sont en bois et en carreaux mis en couleur et frottés,

avant d'inventorier le mobilier de chaque pièce, plus ou moins identifiable, les objets de la salle à manger ayant à peu près perdu leur individualité, étant englués dans la crasse, dans la densité de l'atmosphère encore plus brune ici qu'ailleurs, de telle sorte qu'ils ne parviennent pas à se détacher véritablement sur le fond des murs :

Eh bien ! malgré ces plates horreurs, si vous le compariez à la salle à manger, qui lui est contiguë, vous trouveriez ce salon élégant et parfumé comme doit l'être un boudoir. Cette salle, entièrement boisée, fut jadis peinte en une couleur indistincte aujourd'hui, qui forme un fond sur lequel la crasse a imprimé ses couches de manière à y dessiner des figures bizarres. Elle est plaquée de buffets gluants...

Peintre de décors, mais aussi peintre de personnages. Ainsi, dans *La Recherche de l'absolu*, après avoir rivalisé avec les Hollandais dans son évocation de la maison de Balthazar Claës :

Cette galerie peinte en marbre, toujours fraîche et semée d'une couche de sable fin, conduisait à une grande cour carrée intérieure, pavée en larges carreaux vernissés et de couleur verdâtre. A gauche se trouvaient la lingerie, les cuisines, la salle des gens; à droite le bûcher, le magasin au charbon de terre et les communs du logis dont les portes, les croisées, les murs étaient ornés de dessins entretenus dans une exquise propreté. Le jour, tamisé entre quatre murailles rouges rayées de filets blancs, y contractait des reflets et des teintes roses qui prêtaient aux figures et aux moindres détails une grâce mystérieuse et de fantastiques apparences,

voici qu'il « brosse » le portrait de femme de l'alchimiste :

Un peintre médiocre qui dans ce moment aurait copié cette femme, eût certes produit une œuvre saillante avec une tête si pleine de douleur et de mélancolie. La pose du corps et celle des pieds jetés en avant...

Des vêtements il passe au visage qu'il étudie comme une nature morte :

Le trait qui donnait le plus de distinction à cette figure mâle était un nez courbé comme le bec d'un aigle, et qui, trop bombé vers le milieu, semblait intérieurement mal conformé ; mais il y résidait une finesse indescriptible, la cloison des narines en était si mince que sa transparence permettait à la lumière de la rougir fortement.

Est-il besoin de souligner l'intérêt critique d'une étude comparative des figures formées dans l'espace par les arrangements d'objets, du rôle des couleurs, etc., chez les peintres et les romanciers d'un même temps ou d'un même milieu ?

Ce qui est vrai au niveau du décor l'est tout autant pour la liaison de ces différents décors dans une unité de lieu plus vaste. De même que l'on peut laisser dans le vague la localisation des différents meubles qui particularisent une chambre, on ne peut ne pas différencier les relations locales de ces chambres entre elles, laissant l'immeuble, la ville ou le pays, amorphes eux aussi comme un sac.

Pierre et Juliette étaient chez leurs parents ; je les retrouve au chapitre suivant dans un café. Un autre romancier m'indiquerait comment ces deux décors sont situés l'un par rapport à l'autre, comment on peut aller de l'un à l'autre, comment les personnages y sont allés.

L'étude de ces différentes juxtapositions, de ces passages, soulève d'innombrables problèmes, les notions de parcours et vitesse devenant ici fondamentales.

Un tel peut se payer l'avion, un autre ne peut aller qu'à pied, diversité qui a existé depuis toujours — songez à l'importance que pouvait avoir au Moyen Age la possession d'un cheval — mais qui s'est considérablement amplifiée et compliquée depuis les progrès récents des transports. Une ville est un ensemble de trajets dont les lois sont différentes pour automobilistes et marcheurs. Il y a détours, raccourcis, obstacles, densités de trafic variables selon les heures et les jours. Certains pays sont quadrillés d'un réseau de routes, d'autres sans pistes, certains jalonnés de postes d'essence, d'autres où il faut prévoir des réserves.

Déjà la simple juxtaposition des lieux statiques pouvait constituer de passionnants « motifs ». Le musicien projette sa composition dans l'espace de son papier réglé, l'horizontale devenant le cours du temps, la verticale la détermination des différents instrumentistes ; de même le romancier peut disposer différentes histoires individuelles dans un solide divisé en étages, par exemple un immeuble parisien, les relations verticales entre les différents objets ou événements pouvant être aussi expressives que celles entre la flûte et le violon.

Mais lorsqu'on traite ces lieux dans leur dynamique, lorsqu'on fait intervenir les trajets, les suites, les vitesses qui les relient, quel accroissement! Quel approfondissement aussi, puisque nous retrouvons alors clairement ce thème du voyage dont je vous parlais tout à l'heure.

A cet espace parcouru par les individus eux-mêmes, que l'invention, le perfectionnement, la diffusion, l'organisation de nouveaux moyens de transport va bouleverser, se superpose celui des représentations que les transformations des moyens d'information vont remuer.

L'espace vécu n'est nullement l'espace euclidien dont les parties sont exclusives les unes des autres. Tout lieu est le foyer d'un horizon d'autres lieux, le point d'origine d'une série de parcours possibles passant par d'autres régions plus ou moins déterminées.

Dans ma ville sont présentes bien d'autres villes, par toutes sortes de médiations : les pancartes indicatrices, les manuels de géographie, les objets qui en viennent, les journaux qui en parlent, les images, les films qui me les montrent, les souvenirs que j'en ai, les romans qui me les font parcourir.

La présence du reste du monde a une structure particulière pour chaque lieu, les relations de proximité effectives pouvant être toutes différentes des voisinages originels. Je peux n'être au courant d'un fait divers qui s'est passé à quelques mètres de chez moi que par l'intermédiaire d'une agence de presse, d'un rédacteur, d'un imprimeur, qui eux sont à des centaines de kilomètres.

L'organisation actuelle des lignes d'aviation fait que, pour ceux qui en ont les moyens, on va plus vite et plus facilement de Paris à New York qu'à un village français perdu. De même l'information passe par des centres et des nœuds avec d'énormes variations selon les collecti-

vités et même les individus. Tel a le téléphone, l'autre
pas. On sait bien quel parti Stendhal a tiré du télégraphe
dans *Lucien Leuwen*.

Certains lieux sont ainsi des diffuseurs d'information :
ils sont connus dans beaucoup d'autres, par exemple le
Mont Saint-Michel ; certains sont des récepteurs : on
y connaît beaucoup d'autres, par exemple l'Institut géo-
graphique national ; certains sont des collecteurs qui
reçoivent, organisent, et distribuent cette information,
établissant ainsi entre les autres des relations nouvelles.
La ville de Paris est sans doute aujourd'hui encore l'un
des plus importants de ces centres.

Dans cette puissance d'un lieu par rapport à un autre,
les œuvres d'art ont toujours joué un rôle particulièrement important, que ce soit peinture ou roman, et par
conséquent le romancier, s'il veut véritablement éclairer
la structure de notre espace, est obligé de les faire intervenir. Les propriétés qu'il sera capable de mettre en
évidence à cet égard dans les œuvres d'autrui, un autrui
réel ou fictif, il se les appropriera de plusieurs façons :
non seulement ce que ces œuvres réalisent sera réalisé
par leur intermédiaire dans la sienne, mais il sera capable
d'en tirer des leçons, et par la suite d'utiliser sa propre
expérience pour poursuivre leur exégèse. Elles seront
donc, en ce domaine de l'espace comme en tant d'autres,
un outil de la réflexion, un point sensible par lequel
l'auteur inaugure sa propre critique.

Bien sûr, c'est d'abord dans l'espace des représentations que le roman introduit sa modification essentielle,
mais qui ne voit comment les informations réagissent
sur les parcours et les choses, comment donc, à partir
d'une invention romanesque, des objets peuvent être
effectivement déplacés, l'ordre des trajets transformé.

« PHILOSOPHIE DE L'AMEUBLEMENT »

Un des premiers textes de Poe qu'ait traduits Baudelaire (et publié en une plaquette qu'il fit détruire à cause d'une faute d'impression sur son nom — *Beaudelaire*) est une critique de l'arrangement des appartements aux États-Unis au début du xixᵉ siècle. Le goût a changé au point que nous ne savons plus si ce que nous aimerions c'est ce que Poe attaque ou ce qu'il propose, mais l'important c'est la profondeur à laquelle il réussit à situer sa question :

Il ne peut rien exister de plus directement choquant pour l'œil d'un artiste que l'arrangement intérieur de ce qu'on appelle aux États-Unis un appartement bien meublé. Son défaut le plus ordinaire est un manque d'harmonie. Nous parlons de l'harmonie d'une chambre comme nous parlerions de l'harmonie d'un tableau, car tous les deux, la chambre et le tableau, sont également soumis à ces principes indéfectibles qui gouvernent toutes les variétés de l'art et l'on peut dire qu'à très peu de chose près les lois par lesquelles nous jugeons les qualités principales d'un tableau suffisent pour apprécier l'arrangement d'une chambre.

Suffisent, mais naturellement sont nécessaires. Poe est le premier à déclarer que l'arrangement d'une chambre peut être une œuvre aussi élevée qu'un tableau, et à

nous faire sentir qu'un des moyens les plus sûrs pour
étudier ce que sont les « beaux-arts », c'est de passer par
leurs « parents pauvres », les arts décoratifs.

L'immédiate évidence de leur « fonction » et le fait
d'autre part que dès qu'on parle d'« art », les objets
dépassent leur fonction première, ont aussi une autre
fonction que celle qui les désigne, la théière, par exemple,
bien dessinée, bien œuvrée, étant une théière mais quelque chose de plus, peuvent nous faire comprendre quelle
est la fonction de cet objet si mystérieux qu'est un tableau, et de cet autre qu'est un livre, tellement particulier qu'on oublie en général que c'est un objet.

Poe montre que l'arrangement habituel des maisons
riches de son pays est lié étroitement à une façon de
vivre et de penser, au fait que l'argent est dans son pays
la « valeur » par excellence. Comme tous les grands écrivains américains, il est anti-américain ; sitôt qu'il écrit,
c'est pour dire à la fois beaucoup de bien et beaucoup de
mal de sa patrie.

A cet ameublement qu'il récuse pour des raisons
esthétiques, c'est-à-dire morales et philosophiques (c'est
une philosophie de l'ameublement), il oppose sa « poésie » :

*Mais nous avons vu dans la mouvance d'Américains de for-
tune moderne des appartements qui au moins par leur mérite
négatif pourraient rivaliser avec les cabinets raffinés de nos
amis d'outre-mer. En ce moment même nous avons présent à
l'œil de notre esprit une petite chambre sans prétention dans la
décoration de laquelle il n'y a rien à reprendre, le propriétaire
est assoupi sur un sofa, le temps est frais, il est près de minuit,
nous ferons un croquis de la chambre pendant qu'il sommeille.*
  *La forme en est oblongue, 30 pieds de long environ et 25 de
large, c'est une forme qui donne les commodités ordinaires les
plus grandes pour l'arrangement d'un mobilier. Elle n'a*

qu'une porte qui n'est rien moins que large, placée à l'un des bouts du parallélogramme et que deux fenêtres placées à l'autre bout. Ces dernières sont larges et descendent jusqu'au plancher, profondément enfoncées d'ailleurs et ouvrant sur une véranda italienne. Leurs carreaux sont de verre pourpre, encadrés dans un châssis de bois de palissandre, plus massif que d'ordinaire. Elles sont garnies, à l'intérieur du renfoncement, de rideaux d'un épais tissu d'argent adapté à la forme de la fenêtre et tombant librement à petits plis. En dehors de la niche sont des rideaux de soie cramoisie, excessivement riche, frangés d'un large réseau d'or et doublés du même tissu d'argent dont est fait également le store extérieur. Il n'y a pas de corniches mais tous les plis de l'étoffe (qui sont plutôt fins que massifs et ont ainsi un air de légèreté) sortent de dessous un entablement doré, d'un riche travail, qui fait le tour de la chambre à la ligne de jonction du plafond et des murs...

Certes, si c'est ce que l'on nous propose comme modèle de simplicité, comme chambre sans prétention, on peut frémir en imaginant ce que devraient être les appartements « tape-à-l'œil ». Mais il y a là-dedans bien sûr un rêve, tout un décor romantique prodigieux. C'est particulièrement sensible à la fin du texte :

On n'aperçoit qu'une seule glace, qui d'ailleurs n'est pas très grande. Sa forme est presque circulaire, et elle est suspendue de telle façon que le propriétaire ne peut y voir son image reflétée d'aucun des principaux sièges de la chambre. Deux larges sofas, très bas, en bois de palissandre et soie cramoisie brochée d'or, forment les seuls sièges, à l'exception de deux causeuses, également en palissandre. Il y a un piano (en palissandre) sans housse et tout ouvert. Une table octogone, faite uniquement du plus beau marbre, incrusté d'or, est placée près d'un des sofas. Cette table n'a pas non plus de tapis; en fait de draperies les rideaux ont été jugés suffisants. Quatre vastes et magnifiques vases de Sèvres, dans lesquels s'épanouit une profusion de fleurs aussi odorantes qu'éclatantes, occupent les autres angles légèrement arrondis de la chambre. Un haut candélabre, soutenant une petite lampe antique pleine d'une huile fortement parfumée, s'élève près de la tête de mon ami assoupi. Quelques tablettes, légères et gracieuses, dorées sur leurs tranches, et suspendues par des cordelettes de soie cramoisie à glands d'or, supportent deux ou trois cents volumes magnifiquement reliés. En dehors de cela, il n'y a pas d'autres meubles, excepté une lampe d'Argand, avec un simple globe de verre poli d'une couleur pourpre, qui, par une unique et mince chaîne d'or, est suspendue au plafond, lequel est creusé en voûte et fort élevé, et répand sur toutes choses une lumière à la fois tranquille et magique.

Vous avez reconnu dans ce passage l'origine d'un des plus beaux poèmes des *Fleurs du Mal*, qui en est presque une nouvelle traduction :

> *Nous aurons des lits pleins d'odeurs légères,*
> *Des divans profonds comme des tombeaux,*
> *Et d'étranges fleurs sur des étagères,*
> *Écloses pour nous sous des cieux plus beaux...*

Un poème d'appartement.

A l'intérieur d'un roman, si je veux qu'il y ait une maison qui soit supérieure aux autres, une maison dans laquelle les personnages et les lecteurs aient envie de vivre, si je veux décrire des gens intelligents, qui ont du goût, qui savent vivre, donc les loger dans une maison bien installée, je peux prendre un modèle dans la réalité, recopier l'appartement d'un ami meuble par meuble, mais dans le meilleur des cas il y aura toujours quelque chose que je préférerais arranger autrement. Je pousserai un peu les murs d'une pièce, déplacerai tel meuble, changerai la matière de tel autre, et ferai par conséquent dans mon roman le même travail qu'un architecte décorateur, avec cette différence que les limitations données au début sont d'une autre espèce.

Mais le romancier a tout avantage à savoir comment de son temps on aborde et résout certains problèmes « pratiques », car cela lui permet d'améliorer son invention, et aussi sa connaissance de ses personnages et de lui-même, car l'ameublement dans le roman ne joue pas seulement un rôle « poétique » de proposition, mais de révélateur, car ces objets sont bien plus liés à notre existence que nous ne l'admettons communément.

Décrire des meubles, des objets, c'est une façon de décrire des personnages, indispensable : il y a des choses que l'on ne peut faire sentir ou comprendre que si l'on met sous l'œil du lecteur le décor et les accessoires des actions.

Autrefois, dans le roman du xviie ou du xviiie siècles, l'ameublement avait avant tout un rôle poétique. Dans *La Princesse de Clèves*, peu d'objets décrits, mais les quelques-uns prennent une importance extraordinaire, se chargent des sentiments de tel ou tel comme d'une électricité, vont provoquer de véritables étincelles.

Dans le pavillon, lieu de rêve, la princesse, la nuit, seule, songe au merveilleux Nemours aperçu contre l'amour duquel elle se défend ; et si l'on sait vraiment que c'est à lui qu'elle songe (elle-même n'aurait su le dire), c'est qu'elle tient entre ses doigts une canne lui appartenant, autour de laquelle elle enlace des rubans aux couleurs qu'il portait au tournoi.

Beaux objets, fascinants par eux-mêmes.

Déjà le roman picaresque faisait intervenir des objets « laids » : vaisselles ébréchées, guenilles. A partir de Balzac, quelle invasion! *La Comédie humaine* ressemble à certains moments à un gigantesque grenier empli de vieux meubles. C'est qu'ils vont lui permettre de mettre en évidence l'ébranlement fondamental d'une société. Il décrit minutieusement des objets qui ne sont plus à la place pour laquelle ils ont été faits, dans l'état où ils

devraient être, aux gens à qui ils devraient appartenir.
Il y avait avant la Révolution une société hiérarchisée
dont la stabilité s'exprimait par une « harmonie », une
convenance dans l'ameublement : les gens d'un certain
milieu possédaient des objets d'une certaine sorte, et les
meubles, objets durables, étaient transmis à l'intérieur
d'une même famille et entretenus. Après , tout a changé
de place et d'allure, abandonné se délabre.

Ainsi lorsque Balzac nous décrit l'ameublement d'un
salon, c'est l'histoire de la famille qui l'occupe qu'il nous
décrit. Si les fauteuils sont disparates, c'est qu'elle aura eu
des revers. Pas seulement de cette famille, de tout le
milieu, car les bahuts ont pu se promener, passer de main
en main.

C'est pourquoi Balzac s'intéresse beaucoup plus aux
objets abîmés qu'aux objets neufs. Je vous renvoie au
début du *Père Goriot:* tous les objets qu'il nous décrit
dans la Pension Vauquer ont eu des aventures, ce sont
des rescapés, et chaque pièce forme une sorte de poème
de misère :

*Il s'y rencontre de ces meubles indestructibles, proscrits par-
tout, mais placés là comme le sont les débris de la civilisation
aux Incurables. Vous y verriez un baromètre à capucin qui
sort quand il pleut, des gravures exécrables qui ôtent l'appétit,
tout encadrées en bois noir verni à filets dorés; un cartel en
écaille incrustée de cuivre; un poële vert, des quinquets d'Argand
où la poussière se combine avec l'huile, une longue table en
toile cirée assez grasse pour qu'un facétieux externe y écrive son
nom en se servant de son doigt comme de style, des chaises
estropiées, de petits paillassons piteux en sparterie qui se déroule
toujours sans se perdre jamais, puis des chaufferettes misérables à trous cassés, à charnières défaites, dont le bois se carbo-
nise. Pour expliquer combien ce mobilier est vieux, crevassé,
pourri, tremblant, rongé, manchot, borgne, invalide, expirant,
il faudrait en faire une description...*

Les objets ont une vie historique corrélative de celle des personnages, parce que l'homme ne forme pas un tout à lui seul. Un personnage, un personnage de roman, nous-mêmes, ce n'est jamais un individu, un corps seulement, c'est un corps vêtu, armé, muni ; certains animaux ont des pinces, d'autres des becs piquants, des cornes, l'homme ne peut se passer de ceux qu'il a fabriqués. Sous peine de disparition. Le véritable organisme, c'est l'ensemble du corps et de ces objets qui appartiennent à l'espèce humaine comme tel nid à telle espèce d'oiseau.

Dans son « Avant-propos » de 1842, Balzac disait :

> *L'animal a peu de mobilier, il n'a ni arts ni sciences; tandis que l'homme, par une loi qui est à rechercher, tend à représenter ses mœurs, sa pensée et sa vie dans tout ce qu'il approprie à ses besoins. Quoique Leuwenhoëk, Swammerdam, Spallanzani, Réaumur, Charles Bonnet, Muller, Haller et autres patients zoographes aient démontré combien les mœurs des animaux étaient intéressantes, les habitudes de chaque animal sont, à nos yeux du moins, constamment semblables en tout temps; tandis que les habitudes, les vêtements, les paroles, les demeures d'un prince, d'un banquier, d'un artiste, d'un bourgeois, d'un prêtre et d'un pauvre sont entièrement dissemblables et changent au gré des civilisations.*
>
> *Ainsi l'œuvre à faire devait avoir une triple forme: les hommes, les femmes et les choses, c'est-à-dire les personnes et la représentation matérielle qu'elles donnent de leur pensée; enfin l'homme et la vie, car la vie est notre vêtement.*

Les destins des Français sont étroitement liés aux destins, aux aventures des chaises sur lesquelles ils s'asseyent, des lits sur lesquels ils se couchent, et certes une des différences majeures entre les civilisations, c'est la façon dont le corps s'adapte aux objets différents qui l'entourent. Où il n'est point de chaises, se développe toute une autre éducation de gestes, une autre politesse et façon de vivre. L'arrivée dans un pays sans chaises de gens qui eux ne peuvent être installés convenablement qu'avec des chaises bouleverse immédiatement écono- mie, mœurs et pensées.

Si dans le roman du xviiie siècle, les objets n'inter- viennent pas beaucoup, c'est que la société apparaît encore comme stable ; ils sont donc « donnés ». A partir de la Révolution, les objets importent de plus en plus parce que dans l'instabilité sociale, dans le bouleverse- ment intérieur des personnages, les objets, et en parti- culier les meubles, les objets ménagers, sont un des points de repère les plus sûrs.

Au début de *La Peau de chagrin*, Balzac nous donne une « représentation » de sa théorie des objets. Raphaël, près du suicide, entre dans un magasin d'antiquité, lieu d'aboutissement d'objets venus de partout, détachés de leur contexte, mais qui permettent de restituer celui-ci, comme les ossements permettent à Cuvier de reconsti- tuer entier les animaux d'ères passées, magasin d'anti- quités immense, superlatif, un magasin d'antiquités de rêve, et pénètre peu à peu dans ce rêve :

> *Dans l'horrible situation où se trouvait l'inconnu, ce babil de cicerone, ces phrases sottement mercantiles furent pour lui comme les taquineries mesquines par lesquelles les esprits étroits assassinent un homme de génie. Portant sa croix jusqu'au bout, il parut écouter son conducteur et lui répondit par gestes ou par monosyllabes; mais insensiblement il sut conquérir le droit d'être silencieux, et put se livrer sans crainte à ses dernières méditations, qui furent terribles. Il était poète, et son âme ren- contra fortuitement une immense pâture; il devait voir par avance les ossements de vingt mondes.*

Les objets sont les os des temps.

> *Au premier coup d'œil les magasins lui offrirent un tableau confus dans lequel toutes les œuvres humaines et divines se heurtaient. Des crocodiles, des singes, des boas empaillés sou-*

riaient à des vitraux d'église, semblaient vouloir mordre des
bustes, courir après des laques, ou grimper sur des lustres. Un
vase de Sèvres, où Mme Jacotot avait peint Napoléon, se trou-
vait auprès d'un sphinx dédié à Sésostris.

La juxtaposition d'objets caractéristiques de domaines
éloignés l'un de l'autre amène Balzac à des images qui ne
dépareraient point les plus beaux textes surréalistes :

> *Un vaisseau d'ivoire voguait à pleines voiles sur le dos d'une*
> *immobile tortue. Une machine pneumatique éborgnait l'em-*
> *pereur Auguste...*

Puis dans une seconde énumération, il s'efforcera de
faire surgir en quelques mots autour du « spécimen » la
région historique, le « monde » d'où il vient :

> *Il sortit de la vie réelle, monta par degrés vers un monde idéal,*
> *arriva dans les palais enchantés de l'Extase où l'univers lui*
> *apparut par bribes et en traits de feu, comme l'avenir passa*
> *jadis flamboyant aux yeux de saint Jean dans Pathmos.*
> *Une multitude de figures endolories, gracieuses et terribles,*
> *obscures et lucides, lointaines et rapprochées, se leva par masses,*
> *par myriades, par générations. L'Égypte, raide, mystérieuse,*
> *se dressa de ses sables, représentée par une momie qu'envelop-*
> *paient des bandelettes noires; puis, ce fut les Pharaons enseve-*
> *lissant des peuples pour se construire une tombe; et Moïse, et*
> *les Hébreux, et le désert; il entrevit tout un monde antique et*
> *solennel. Fraîche et suave, une statue de marbre assise sur une*
> *colonne torse et rayonnant de blancheur lui parla des mythes*
> *voluptueux de la Grèce et de l'Ionie. Ah! qui n'aurait souri*
> *comme lui de voir, sur un fond rouge, la jeune fille brune dan-*
> *sant dans la fine argile d'un vase étrusque devant le dieu Priape*
> *qu'elle saluait d'un air joyeux?...*

Après ces évocations intuitives, il nous explique
comment, à partir de tels objets, on peut méthodiquement reconstituer des mondes entiers :

> *Vous êtes-vous jamais lancés dans l'immensité de l'espace*
> *et du temps, en lisant les œuvres géologiques de Cuvier? Emporté*

*par son génie, avez-vous plané sur l'abîme sur l'abîme sans
bornes du passé, comme soutenu par la main d'un enchanteur?
En découvrant de tranche en tranche, de couche en couche, sous
les carrières de Montmartre ou dans les schistes de l'Oural, ces
animaux dont les dépouilles fossilisées appartiennent à des
civilisations antédiluviennes, l'âme est effrayée d'entrevoir des
milliards d'années, des millions de peuples que la faible mémoire
humaine, que l'indestructible tradition divine ont oubliés et
dont la cendre, entassée à la surface de notre globe, y forme les
deux pieds de terre qui nous donnent du pain et des fleurs.
Cuvier n'est-il pas le plus grand poëte de notre siècle? Lord
Byron a bien reproduit par des mots quelques agitations morales
mais notre immortal naturaliste a reconstruit des mondes avec
des os blanchis, a rebâti comme Cadmus des cités avec des dents,
a repeuplé, a repeuplé mille forêts de tous les mystères de la
zoologie avec quelques fragments de houille, a retrouvé des popu-
lations de géants dans le pied d'un mammouth...*

Les objets sont ainsi les fossiles de la réalité humaine,
et tant qu'elle n'est pas encore morte, ils en sont déjà
les ossements, le squelette externe. Nous avons besoin
d'une colonne vertébrale pour nous tenir debout, d'une
colonne vertébrale externe pour nous tenir assis : la
chaise, que l'ingéniosité humaine a fabriquée, comme la
tortue s'est fabriqué une carapace.

Écrire un roman, par conséquent, ce sera non seulement composer un ensemble d'actions humaines, mais
aussi composer un ensemble d'objets tous liés nécessairement à des personnages, par proximité ou par éloigne-
ment — car nous pourrons y mettre des objets « inhu-
mains », des rochers par exemple, qui n'ont pas été faits
par l'homme, qui nient l'homme d'une certaine façon,
mais qui ne seront là que par rapport à lui.

Nous présenterons donc un espace « habité » ; nous dé-
crirons des ameublements, nous nous servirons d'ameublements, mais aussi nous produirons à l'intérieur même

de l'œuvre, et dans son rapport avec l'extérieur, un phénomène d'ameublement, d'habitation.

Un roman, c'est d'abord un objet, un livre, ce « volume » sur notre bibliothèque, une table, que nous déplaçons pour le poser sur notre lit ; lorsque nous l'ouvrons, que nos yeux se promènent sur les pages, se prennent à leur piège, la pièce où nous sommes se met à « laisser place » à un autre lieu, hantée par le décor de ce qui est décrit, narré.

Bien installés dans un fauteuil, sous un éclairage discret, voici que je me prends à chevaucher dans le sud des États-Unis :

Si bien que désormais ce n'était plus deux mais quatre d'entre eux qui chevauchaient dans l'obscurité sur les ornières gelées de cette nuit de Noël...,

dit Faulkner vers la fin d'*Absalom, Absalom!*, commentant le récit que Quentin fait à Shreve de la chevauchée d'Henry Sutpen en compagnie de Charles Bon ; au moins cinq, et vous avec moi un sixième.

Je vais me promener ainsi de lieu en lieu, guidé par les phrases de l'auteur, faire surgir devant moi décors, meubles, visages, tourner autour, proche ou lointain, dans un espace second encombré ou vide, amorphe ou réglé, orienté, polarisé ou neutre.

Non seulement je suivrai les périgrinations de mes personnages passant avec eux par un corridor pour aller de la salle à manger à la cuisine, mais moi-même je décrirai un trajet propre à l'intérieur de ces décors ; le livre lui-même superpose donc à tout ce qu'il nous peint, à toutes ces habitations qu'il suscite, un phénomène d'habitation ; car je me promène en fait dans un livre comme je me promènerais dans une maison. Certains

ont des entrées grandioses, certains des suites de parties
éclairées, des parties obscures, des corridors étroits qu'il
me faut parcourir pour déboucher soudain sur un grand
espace.

S'il y a dans l'univers romanesque des aspects qui le
rapprochent de l'univers pictural, d'autres seront mieux
éclairés par des comparaisons empruntées à l'architecture
ou à l'urbanisme. De même que dans un appartement,
pour aller d'une pièce à une autre, il peut y avoir un ou
deux trajets possibles, des trajets économiques ou compliqués, on peut voir les pièces l'une de l'autre, ou au
contraire avoir des séparations étanches, de même entre
les lieux où le romancier fait se promener son lecteur, il
peut y avoir continuité ou discontinuité, pénétration ou
isolement.

Je puis suivre « pas à pas » le trajet d'un des personnages d'une ville à l'autre, en décrivant tout le parcours
(dans la mesure naturellement où il est possible de
décrire « tout » un parcours — en fait une telle description ne se fait jamais qu'en choisissant intelligemment un
certain nombre de jalons), en faisant épouser au lecteur
la continuité locale du voyage de mon héros, mais vous
savez bien qu'on procède souvent tout autrement nous
disant que tel jour Jules était à Berlin, et au chapitre
suivant, une semaine après dans le récit, nous le montrant à Strasbourg, le trajet, le voyage étant passé sous
silence. Le personnage, lui, a été bien obligé de traverser
tous les intermédiaires, nous les sautons. Nous habitons
l'espace romanesque autrement que lui, mais cette
« habitation » va poser des problèmes similaires.

Entre la composition romanesque et l'organisation
réelle de l'espace habité sous toutes ses formes : chambre,
ville, ou la terre entière, il y a d'étroites relations, puis-

qu'il s'agit aussi de traiter, d'organiser des parcours, ici réels, là fictifs, d'une chambre à l'autre, d'un quartier, d'une ville à l'autre.

Il n'existe pas à ma connaissance de roman qui se passe dans un seul lieu bien isolé. Lorsqu'il y en a l'apparence, en fait, par un certain nombre d'artifices, on saute à d'autres lieux. Ainsi, dans le *Voyage autour de ma chambre* de Xavier de Maistre, qui, en principe, se passe entièrement dans une chambre, par l'intermédiaire de la description des objets, de leur histoire, le lecteur passe à d'autres lieux.

Organiser ainsi la façon dont les lieux vont se « commander », se représenter les uns à l'intérieur des autres.

Aujourd'hui, nous ne vivons jamais dans un lieu unique ; nous avons toujours une localisation compliquée, c'est-à-dire que lorsque nous sommes quelque part, nous pensons toujours aussi à ce qui se passe dans un autre endroit, nous avons des renseignements sur l'extérieur. Ouvrons la radio, nous voici « en présence » d'un speaker distant de centaines ou de milliers de mètres. Je suis bien « chez moi », mais ce « chez moi » n'est pas fermé, il « communique » par la radio, le téléphone, la presse, les livres, les œuvres d'art.

Il en a toujours été ainsi, mais autrefois, la prééminence du lieu originel, de la case où mon corps respire, de ce que mes yeux voient directement, était si grande par rapport à l'horizon des autres lieux que dans la plupart des cas on pouvait passer ceux-ci sous silence. Prenons la demeure par exemple : au xviiie siècle, on ne pouvait savoir ce qui se passait dans une autre pièce qu'en y allant, ou par l'intermédiaire d'une vision directe plus ou moins masquée : lucarnes, judas, meurtrières, d'un miroir, tels ceux qu'on installait dans les corridors pour

déjouer la localisation brute et permettre à une femme,
lorsqu'elle quittait une pièce, de vérifier sans se retourner ce qui se passait derrière elle, ou qui la suivait, d'in-
géniosités acoustiques élémentaires, ou mécaniques : les
sonneries, les « tours » à l'entrée des couvents, ou celui
qui dans *L'Homme qui rit* perturbe si fâcheusement
l'ivresse du pauvre Gwymplaine. Aujourd'hui, la moindre
administration nous offre des exemples d'intégration.
locale déjà fort élevée : téléphone intérieur ou même
télévision, tubes pneumatiques, etc.

Saisir tout cela, donner tout cela, agir « sciemment »
dans cet espace, le modifier par cet objet qu'est un livre
parmi les autres meubles, « meuble » par excellence
« mobile » parmi les immeubles.

L'USAGE DES PRONOMS PERSONNELS
DANS LE ROMAN

Les romans sont habituellement écrits à la troisième ou à la première personne, et nous savons bien que le choix de l'une de ces formes n'est nullement indifférent ; ce n'est pas tout à fait la même chose qui peut nous être raconté dans l'un ou l'autre cas, et surtout notre situation de lecteur par rapport à ce qu'on nous dit est transformée.

1. *La troisième personne.*

La forme la plus naïve, fondamentale, de la narration est la troisième personne ; chaque fois que l'auteur en utilisera une autre, ce sera d'une certaine façon une « figure », il nous invitera à ne pas la prendre à la lettre, mais à la superposer sur celle-là toujours sous-entendue.

Ainsi, le héros d'*A la recherche du temps perdu*, par exemple, Marcel, s'exprime à la première personne, mais Proust lui-même insiste sur le fait que ce « je » est un autre, et il nous donne comme argument péremptoire : « C'est un roman. »

Chaque fois qu'il y a récit romanesque, les trois personnes du verbe sont obligatoirement en jeu : deux per-

sonnes réelles : l'auteur qui raconte l'histoire, qui corres-
pondrait dans la conversation courante au « je », le lecteur à qui on la raconte, le « tu », et une personne fictive,
le héros, celui dont on raconte l'histoire, le « il ».

Dans les chroniques, les autobiographies, les récits de
tous les jours, celui dont on raconte l'histoire est identique à celui qui la raconte ; dans les éloges, les discours
de réception à l'Académie française, ou les réquisitoires,
celui à qui l'on parle avant tout est aussi celui dont on
parle ; mais, dans le roman, il ne peut y avoir une identité
littérale, puisque celui dont on parle, n'ayant point
d'existence réelle, est nécessairement un tiers par rapport
à ces deux êtres de chair et d'os qui communiquent par
son moyen.

Cependant, le fait même qu'il s'agisse d'une fiction,
que l'on ne puisse constater l'existence matérielle de ce
tiers, que l'on ne se heurte jamais à son corps, à son
extériorité, nous montre que, dans le roman, cette distinction entre les trois personnes de la grammaire perd
beaucoup de la raideur qu'elle peut avoir dans la vie
quotidienne ; elles sont en communication.

Chacun sait que le romancier construit ses personnages,
qu'il le veuille ou non, le sache ou non, à partir des éléments de sa propre vie, que ses héros sont des masques
par lesquels il se raconte et se rêve, que le lecteur n'est
point pure passivité, mais qu'il reconstitue, à partir des
signes rassemblés sur la page, une vision ou une aventure,
en se servant lui aussi du matériel qui est à sa disposition,
c'est-à-dire de sa propre mémoire, et que le rêve, auquel
il parvient de la sorte, illumine ce qui lui manque.

Dans le roman, ce que l'on nous raconte, c'est donc
toujours aussi quelqu'un qui se raconte et nous raconte.
La prise de conscience d'un tel fait provoque un glisse-

ment de la narration de la troisième à la première personne.

2. *La première personne.*

Il s'agit d'abord d'un progrès dans le réalisme par l'introduction d'un point de vue. Lorsque tout était raconté à la troisième personne, c'était comme si l'observateur était absolument indifférent : « Peut-être certains ont-ils faits des erreurs sur ce qui s'est passé, mais aujourd'hui tout le monde sait que les choses se sont déroulées ainsi. » Lorsqu'on s'aperçoit que bien souvent les choses justement ne se seraient pas déroulées de cette façon si certains des individus impliqués avaient su alors ce qui se passait ailleurs, que cette ignorance est un des aspects fondamentaux de la réalité humaine, et que les événements de notre vie ne parviennent jamais à s'historiser au point que leur narration ne comporte plus de lacunes, on est obligé de nous présenter ce que nous sommes censés connaître, mais aussi de nous préciser le comment de ce savoir-là.

Caractéristique à cet égard le fait que lors de toutes les mystifications romanesques, chaque fois que l'on a essayé de faire passer une fiction pour un document, prenons par exemple le *Robinson Crusoé* ou le *Journal de l'année de peste* de Daniel Defoe, on a utilisé tout naturellement la première personne. En effet, si l'on avait pris la troisième, on aurait automatiquement provoqué la question : « Comment se fait-il que personne d'autre n'en sache rien ? » Le narrateur qui nous expose ses vicissitudes répond d'avance à cette enquête, et renvoie toute vérification dans l'avenir : il nous explique comment il se fait que l'« un » seulement connaissait et que l' « on » ne connaissait point.

Le narrateur, dans le roman, n'est pas une première personne pure. Ce n'est jamais l'auteur lui-même littéralement. Il ne faut pas confondre Robinson et Defoe, Marcel et Proust. Il est lui-même une fiction, mais parmi ce peuple de personnages fictifs, tous naturellement à la troisième personne, il est le représentant de l'auteur, sa *persona*. N'oublions pas qu'il est également le représentant du lecteur, très exactement le point de vue auquel l'auteur l'invite à se placer pour apprécier, pour goûter telle suite d'événements, en profiter.

Cette identification privilégiée, forcée (le lecteur « doit » se mettre ici), n'empêchera nullement que d'autres se produisent ; on rencontre fréquemment des romans où le narrateur est un personnage secondaire qui assiste à la tragédie ou la transfiguration d'un héros, de plusieurs, dont il nous raconte les étapes. Par rapport à l'auteur, qui ne voit qu'alors le héros représentera ce qu'il rêve, et le narrateur ce qu'il est ? La distinction entre les deux personnages réfléchira à l'intérieur de l'œuvre la distinction vécue par l'auteur entre l'existence quotidienne telle qu'il la subit, et cette existence autre que son activité romanesque promet et permet. Et c'est cette distinction qu'il veut rendre sensible, même douloureuse au lecteur. Il ne veut plus se contenter de lui fournir un rêve qui le soulage ; il veut lui faire éprouver toute la distance qui subsiste entre ce rêve et sa réalisation pratique.

L'introduction du narrateur, point de tangence entre le monde raconté et celui où on le raconte, moyen terme entre le réel et l'imaginaire, va déclencher toute une problématique autour de la notion de temps.

Lorsqu'on en reste à un récit entièrement à la troisième personne (sauf les dialogues évidemment), à un récit sans narrateur, la distance entre les événements rapportés et le moment où on les rapporte n'intervient évidemment pas. C'est un récit stabilisé, qui ne changera plus substantiellement, quel que soit celui qui vous le raconte et le moment. Le temps dans lequel il se déroule sera donc indifférent de sa relation avec le présent ; c'est un passé très fortement coupé de l'aujourd'hui, mais qui ne s'éloigne plus, c'est un aoriste mythique, en français le passé simple.

Dès que l'on introduit un narrateur, il faut savoir comment son écriture se situe par rapport à son aventure. A l'origine, il sera censé attendre lui aussi que la crise se soit dénouée, que les événements se soient arrangés dans une version définitive ; il attendra pour raconter l'histoire de la connaître en son entier ; c'est plus tard, vieilli, calmé, rentré au bercail, que le navigateur se penchera sur son passé, mettra de l'ordre dans ses souvenirs. Le récit sera présenté sous forme de mémoires.

Mais de même que le « je » de l'auteur projette dans le monde fictif le « je » du narrateur, de même le présent de celui-ci va projeter dans son souvenir fictif un présent révolu. Nous verrons se multiplier des formules comme : « A ce moment-là, je ne savais pas encore que... » A l'organisation définitive des péripéties telle qu'elle se présente à une mémoire idéale apaisée va s'opposer de plus en plus l'organisation provisoire des données incomplètes au jour le jour, qui seule permet de comprendre et de faire « revivre » les événements.

Si le lecteur est mis à la place du héros, il faut aussi qu'il soit mis en son moment, qu'il ignore ce qu'il ignore, que les choses lui apparaissent comme elles lui appa-

raissaient. C'est pourquoi la distance temporelle entre
narré et narration va tendre à diminuer : des mémoires
on passera aux chroniques, l'écriture étant censée intervenir au cours même de l'aventure, pendant un repos par
exemple, des annales au journal, le narrateur faisant
chaque soir le point, nous confiant ses erreurs, ses inquié-
tudes, ses questions ; et il est naturel qu'on ait essayé de
réduire cette distance au minimum, d'atteindre une
narration absolument contemporaine de ce qu'elle narre,
seulement, comme on ne peut évidemment pas à la fois
écrire et se battre, manger, faire l'amour, on a été obligé
de recourir à une convention : le monologue intérieur.

3. *Le monologue intérieur.*

Même dans le journal, entre l'acte et son récit on avait
eu le temps de repasser cent fois les choses dans sa tête.
Ici l'on prétend nous donner la réalité toute chaude, le
vif absolu, avec le merveilleux avantage de pouvoir
suivre toutes les aventures de l'événement dans la mémoire du narrateur, toutes les transformations qu'il aura
subies, toutes ses interprétations successives, les progrès
de sa localisation, depuis le moment où il s'est produit
jusqu'à celui où il serait noté dans le journal.

Mais, dans le monologue intérieur habituel, le problème de l'écriture est purement et simplement mis entre
parenthèses, oblitéré. Comment se fait-il que ce langage
ait pu arriver jusqu'à l'écriture, à quel moment l'écriture
a-t-elle pu le récupérer ? Ce sont là questions qu'on laisse
soigneusement dans l'ombre. On se retrouve, par conséquent, à un niveau supérieur, devant des difficultés du
même genre que celles rencontrées par le récit à la troi-

sième personne : on nous dit ce qui s'est passé, ce qui a été vécu, on ne nous dit pas comment on le sait, comment dans la réalité, on pourrait le savoir pour des événements de ce genre.

Or cet oubli, cette oblitération, chez les grands artisans du monologue intérieur, a l'immense inconvénient de camoufler un problème encore plus grave, celui du langage lui-même. En effet, on suppose chez le personnage narrateur un langage articulé là où d'habitude il n'y en a pas. Il est tout différent de voir une chaise, et de prononcer soi-même le mot « chaise », et la prononciation de ce mot n'implique pas du tout nécessairement l'apparition grammaticale de la première personne ; la vision articulée, si j'ose dire, la vision reprise et informée par le mot, peut en rester au niveau « Il y a une chaise » sans atteindre le « Je vois une chaise ». C'est toute cette dynamique de la conscience et de la prise de conscience, de l'accession au langage, dont il est impossible de rendre compte.

Dans le récit à la première personne, le narrateur raconte ce qu'il sait de lui-même, et uniquement ce qu'il en sait. Dans le monologue intérieur, cela se rétrécit encore puisqu'il ne peut en raconter que ce qu'il en sait au moment même. On se trouve par conséquent devant une conscience fermée. La lecture se présente alors comme le rêve d'un « viol », à quoi la réalité se refuserait constamment.

Comment l'ouvrir, cette conscience qui ne peut être aussi fermée puisque dans toute lecture, précisément, les personnes circulent entre elles ? Comment faire état de cette circulation ?

4. *La seconde personne.*

C'est ici qu'intervient l'emploi de la seconde personne, que l'on peut caractériser ainsi dans le roman : celui à qui l'on raconte sa propre histoire.

C'est parce qu'il y a quelqu'un à qui l'on raconte sa propre histoire, quelque chose de lui qu'il ne connaît pas, ou du moins pas encore au niveau du langage, qu'il peut y avoir un récit à la seconde personne, qui sera par conséquent toujours un récit « didactique ».

Ainsi, chez Faulkner, on trouve des conversations, des dialogues, où certains personnages racontent aux autres ce que ceux-ci ont fait dans leur enfance et qu'eux-mêmes ont oublié ou dont ils n'ont jamais eu qu'une conscience très partielle.

Nous sommes dans une situation d'enseignement : ce n'est plus seulement quelqu'un qui possède la parole comme un bien inaliénable, inamovible, comme une faculté innée qu'il se contente d'exercer, mais quelqu'un à qui l'on donne la parole.

Il faut par conséquent que le personnage en question, pour une raison ou pour une autre, ne puisse pas raconter sa propre histoire, que le langage lui soit interdit, et que l'on force cette interdiction, que l'on provoque cette accession. C'est ainsi qu'un juge d'instruction ou un commissaire de police dans un interrogatoire rassemblera les différents éléments de l'histoire que l'acteur principal ou le témoin ne peut ou ne veut lui raconter, et qu'il les organisera dans un récit à la seconde personne pour faire jaillir cette parole empêchée : « Vous êtes rentré de votre travail à telle heure, nous savons par tel et tel recoupement qu'à telle heure vous avez quitté votre domicile, qu'avez-vous fait entre les deux ? », ou bien : « Vous nous dites que vous avez fait ceci, mais c'est impossible pour telle et telle raison, vous avez donc dû faire cela... »

Si le personnage connaissait entièrement sa propre histoire, s'il n'avait pas d'objection à la raconter ou se la raconter, la première personne s'imposerait : il donnerait son témoignage. Mais s'il s'agit de le lui arracher, soit parce qu'il ment, nous cache ou se cache quelque chose, soit parce qu'il n'a pas tous les éléments, ou même, s'il les a, qu'il est incapable de les relier convenablement. Les paroles prononcées par le témoin se présenteront comme des îlots à la première personne à l'intérieur d'un récit fait à la seconde, qui provoque leur émersion.

Ainsi, chaque fois que l'on voudra décrire un véritable progrès de la conscience, la naissance même du langage ou d'un langage, c'est la seconde personne qui sera la plus efficace.

A l'intérieur de l'univers romanesque, la troisième personne « représente » cet univers en tant qu'il est différent de l'auteur et du lecteur, la première « représente » l'auteur, la seconde le lecteur ; mais toutes ces personnes communiquent entre elles, il se produit des déplacements incessants.

5. *Les déplacements de personnes.*

Dans le langage courant, nous employons très souvent une personne à la place d'une autre pour suppléer à l'absence d'une forme, constituer une personne absente de la conjugaison normale ; c'est ce qui se passe en particulier dans la « politesse ». En français, on utilise ainsi la deuxième personne du pluriel à la place de celle du singulier, mais dans bien d'autres langues on utilise en ce cas la troisième (ce qui posera pour un roman écrit dans une forme de politesse des problèmes de traduction très difficiles).

Cet emploi de la troisième personne à la place de la seconde, par politesse, permet d'effacer l'aspect didactique que revêt celle-ci dans le récit, et l'impression de hiérarchie qui en découle. Il fait que la personne à qui l'on s'adresse est incluse dans l'Histoire, dans la catégorie des gens publics, de ceux dont on connaît, dont n'importe qui devrait connaître les faits et gestes.

On pourrait étudier de la même façon le déplacement qui s'opère dans le pluriel de majesté.

Les deux premières personnes du pluriel, en effet, ne sont point des multiplications pures et simples de celles qui leur correspondent au singulier, mais des complexes originaux et variables. Le « vous » n'est pas un « tu » répété plusieurs fois, mais la composition de « tu » et de « il » ; lorsque cette composition s'applique à un individu, nous avons le pluriel de politesse français, lorsqu'elle s'applique à tout un groupe, nous savons qu'à chaque instant nous pouvons isoler l'un quelconque des individus qui en font partie, et qu'alors le « vous » se scinde en un « tu » et de nombreux « il », pour se reformer dès que l'attention quittera cet individu en particulier.

Le « nous » n'est pas un « je » plusieurs fois répété, mais une composition des trois personnes. Ainsi, lorsqu'un prince disait « nous » au lieu de dire « je », c'est parce qu'il s'exprimait aussi au nom de la personne à qui il s'adressait.

On pourrait aller plus loin encore, et montrer qu'à l'origine les personnes du singulier se détachent peu à peu sur le fond d'un pluriel indifférencié, qu'en fait le

« nous » est antérieur au « je », que c'est le « nous » qui se divise en « moi » et « vous », le « vous » en « toi » et « eux », etc.

Chacun d'entre nous s'est surpris sans doute à parler à un petit enfant, un bébé, un animal même, en employant pour le désigner la première personne : « Eh bien, est-ce que j'ai été sage ce matin ? » Un tel emploi dénonce justement l'impossibilité pour l'enfant lui-même de faire intervenir un « je » au milieu du récit normal à la deuxième personne ; c'est parce qu'il ne sait pas du tout parler qu'on lui impose la parole à ce point, ou, plus tard, parce que ce qu'on lui dit est « sans réplique ».

Tous les pronoms peuvent s'estomper dans une troisième personne indifférenciée, en français le « on », dont l'affinité avec la première personne du pluriel apparaît clairement dans le langage relâché, le « nous on » correspondant exactement au « moi je ».

6. *Le « il » de César.*

Si, dans le langage courant, nous déplaçons les personnes pour combler un certain nombre des lacunes de la grammaire habituelle, on comprend bien que, dans le langage littéraire, un tel phénomène pourra recevoir des applications rhétoriques et poétiques considérables.

Je vais emprunter deux exemples à des œuvres très classiques.

César, dans ses *Commentaires,* se désigne lui-même par une troisième personne. C'est un déplacement fréquent dans de nombreuses littératures, toujours très significatif. Pour apprécier l'efficacité rhétorique d'un tel emploi, vous n'avez qu'à imaginer qu'un des hommes d'État illustres de notre temps ait rédigé ses *Mémoires* à la troisième personne ; prenons, si vous voulez, Winston Churchill.

Ce déplacement, chez César, a une portée politique extraordinaire. S'il avait écrit à la première personne, il se serait présenté comme témoin de ce qu'il raconte, mais en admettant l'existence d'autres témoins valables pouvant corriger ou compléter ce qu'il nous en a dit. En employant la troisième personne, il considère la décantation historique comme terminée, la version qu'il donne comme définitive. Il récuse ainsi par avance tout autre témoignage et, comme chacun sait bien quelle est la première personne qui se cache sous cette troisième, non seulement il le récuse, mais il l'interdit.

7. Le « je » des « Méditations » de Descartes.

Dans le *Discours de la méthode*, le « je » désigne l'individu réel Descartes qui nous raconte son histoire, mais dans les *Méditations* il y a une fiction, un roman, et le « je » y est d'une nature toute différente. Il s'agit d'une seconde personne camouflée.

Au début de la première *Méditation*, on peut croire que le « je « désigne encore Descartes lui-même :

> ... *Mais, cette entreprise me semblait être fort grande, j'ai attendu que j'eusse atteint un âge qui fût si mûr, que je n'en pusse espérer d'autre après lui auquel je fusse plus propre à l'exécuter, etc.*

Mais très rapidement on voit que l'histoire que nous raconte Descartes n'est pas sa propre histoire, que c'est une aventure qu'il veut littéralement faire vivre au lecteur. Il va le conduire pas à pas, tout au long de ces *Méditations,* tel un ange gardien, un mentor.

Mais peut-être qu'encore que les sens nous trompent quelque-fois touchant des choses fort peu sensibles et fort éloignées, il s'en rencontre néanmoins beaucoup d'autres desquelles on ne peut plus raisonnablement douter, quoique nous les connais-sions par leur moyen : par exemple, que je suis ici, assis auprès du feu, vêtu d'une robe de chambre, ayant ce papier entre les mains, et autres choses de cette nature.

Qui est assis auprès du feu, vêtu d'une robe de chambre ? Descartes imagine la mise en scène, le décor dans lequel se trouvera le plus vraisemblablement son lecteur, et c'est dans ce décor ainsi imaginé qu'il l'ins-talle.

A la fin de la première *Méditation,* il lui décrit l'assou-plissement qu'il doit ressentir après ce premier exercice mental :

... Une certaine paresse m'entraîne insensiblement dans le train de ma vie ordinaire... Ainsi je retombe insensiblement de moi-même dans mes anciennes opinions.

Et il le conduit doucement au repos. Ce n'est que le lendemain, si la mise en scène est bien respectée, que le lecteur doit aborder la *Méditation* deuxième :

La méditation que je fis hier m'a rempli de tant de doutes, qu'il n'est plus désormais en ma puissance de les oublier...

Ici, il est absolument certain qu'on est passé à la seconde personne, « insensiblement », parce que nous savons très bien que cette *Méditation,* lui, Descartes, ne l'a pas faite le jour précédent. C'est le lecteur qui doit docilement, jour après jour, se soumettre à l'un de ces exercices spirituels.

Mais ce déplacement sournois masque une question que Descartes, tout en la considérant comme secondaire, parce que, pour lui, une fois l'argumentation bien amorcée (et il suffit pour cela d'un seul homme, lui-même), tout doit suivre nécessairement, une fois le cristal de la raison retrouvé, nettoyé, rien n'est plus supposé pouvoir le ternir, et que, par conséquent, si le lecteur ne peut pas réaliser à la lettre l'expérience qu'on lui propose, cela ne devrait pas avoir grande importance,

est bien aise de laisser dans l'ombre,

celle de la présence d'un interlocuteur, de sa présence à lui, Descartes, comme guide à l'intérieur de toute cette série de méditations, présence qu'il est impossible de mettre en doute effectivement, sous peine d'abandonner le livre.

L'emploi de « je » ici, tente donc de nous faire oublier la présence du narrateur. Lorsqu'on dévoile celui-ci par l'analyse du procédé de narration, on dévoile du même coup le caractère phénoménologiquement fondamental de la seconde personne.

Lorsque l'on passera du récit de Descartes à sa reprise chez Husserl, cette occultation aura des conséquences fort graves : elle amènera celui-ci à fermer la conscience de l'individu sur elle-même, et le fera buter dans sa cinquième *Méditation* sur des difficultés inextricables dans sa tentative de description de l'apparition radicale d'un autrui, type même de ces faux problèmes dont il nous a ailleurs si bien appris à nous méfier.

8. *Pronoms complexes.*

Nous avons ici deux exemples, chez César et Descartes, de pronoms personnels complexes, et nous avons déjà vu

que, dans les romans, les pronoms personnels employés
sont toujours complexes, des associations des personnes
simples de la conversation. Le « je » du narrateur est
évidemment la composition d'un « je » et d'un « il », et il
peut y avoir ainsi des architectures de pronoms, des
superpositions, par exemple, de « je » narratifs les uns
au-dessus des autres, qui servent au romancier réel à
détacher de lui ce qu'il raconte. Chez Henry James, dans
Le Tour d'écrou, on trouve la superposition de quatre
narrateurs différents ; Kierkegaard, dans la nouvelle
« Une Possibilité » qui fait partie des *Étapes sur le chemin
de la Vie*, se sert d'une architecture de quatre pseudo-
nymes pour nous narrer une anecdote que l'on retrouve
dans son *Journal*.

Il faut évidemment étudier systématiquement l'utilisation de « tous » les pronoms personnels dans le roman.
Puisqu'on emploie les trois personnes du singulier et
qu'on les compose, on peut essayer de voir ce que donne-
raient ces compositions primordiales que sont les personnes du pluriel. Y a-t-il une situation, par exemple, à
laquelle puisse répondre un récit au « nous » ? La conversation la plus familière nous en donne des exemples nombreux : ainsi lorsque, revenus de vacances, nous racontons à d'autres amis ce que nous avons fait, celui d'entre
nous qui a pris la parole emploie cette première personne
du pluriel, montrant qu'à l'intérieur du groupe ainsi
désigné, le « je » narrateur peut passer à chaque instant
d'un individu à l'autre, qu'il peut être constamment
relayé.

Les grands romans par lettres nous fournissent un
matériel d'exemples considérable pour cette étude ; il me
semble que *La Nouvelle Héloïse* est particulièrement
riche à cet égard.

9. *Fonctions de pronoms.*

L'étude de telles structures, l'utilisation méthodique des pronoms composés va nous permettre de faire parler des groupements humains, des aspects de la réalité humaine qui d'habitude ne parlent pas, ou du moins pas dans le roman, qui restent dans l'obscurité,

d'éclairer la matière romanesque à la fois verticalement, c'est-à-dire ses relations avec son auteur, son lecteur, le monde au milieu duquel elle nous apparaît,

et horizontalement, c'est-à-dire les relations des personnages qui la constituent, l'intériorité même de ceux-ci.

Ce sont des « fonctions » pronominales qui leur permettront de parler, structures qui pourront au cours du récit évoluer, permuter, se simplifier ou se compliquer, s'épaissir ou se resserrer.

En ce qui concerne le problème général de la personne, de telles considérations et de telles pratiques obligent à dissocier de plus en plus cette notion de celle d'individu physique, et à l'interpréter comme une fonction se produisant à l'intérieur d'un milieu mental et social, dans un espace de dialogue.

INDIVIDU ET GROUPE DANS LE ROMAN

On oppose souvent le roman, au sens moderne du mot, c'est-à-dire tel qu'il apparaît en Occident en gros avec Cervantès, à l'épopée, en disant que celle-ci raconte les aventures d'un groupe, celui-là d'un individu ; mais, depuis Balzac au moins, il est clair que le roman dans ses formes les plus hautes prétend dépasser cette opposition, et raconter par l'intermédiaire d'aventures individuelles le mouvement de toute une société, dont il n'est finalement qu'un détail, un point remarquable ; car l'ensemble que nous nommons société, si nous voulons proprement le comprendre, n'est point formé seulement d'hommes, mais de toutes sortes d'objets matériels et culturels. C'est donc non seulement la relation entre groupe et individu à l'intérieur du récit que nous propose le romancier que je voudrais tenter d'éclaircir un peu, mais corrélativement l'activité de son œuvre en ce qui concerne de telles relations à l'intérieur du milieu où elle se produit.

L'épopée médiévale, la chanson de geste, appartient à une société d'ancien régime, fortement et clairement hiérarchisée, c'est-à-dire comportant une noblesse. Dans l'ensemble des individus qui la composent, se dessine un sous-ensemble parfaitement délimité, évident pour tous, connu par tous, qui a l'autorité. Ceux qui ne sont pas dans ce groupe sont obscurs, c'est-à-dire qu'ils ne sont connus que de leurs proches, au contraire le noble est salué comme tel par tous ceux de son pays et des pays voisins. L'autorité du noble repose sur son illustration, il est cette partie de notre province qui est fameuse à l'extérieur, par laquelle par conséquent nous sommes présents pour les gens des autres pays. Sans lui nous retombons dans l'obscurité, on ne tient pas compte de nous. Il faut alors que nous appartenions à un autre noble, que nous nous réunissions à une autre province, nous ne savons plus nous en distinguer.

La hiérarchie d'ancien régime n'est donc pas seulement politique, elle est avant tout sémantique, les rapports de force et de commandement sont soumis à des rapports de représentation ; le noble est un « nom ».

On sait bien que la force toute nue, la violence, ne peut point conférer la noblesse. Si un paysan particulièrement musclé assomme au coin d'un bois son jeune seigneur, il n'est nullement salué comme son successeur par ses camarades. Son acte est simplement un crime absurde. Pour que la force puisse se déployer proprement, il lui faut un milieu d'illustration : champ de bataille, ou son pis-aller le tournoi, un milieu qui lui permette de se transformer en langage.

Dans le champ de bataille en effet, celui qui frappe le plus fort pourra aider ceux qui sont autour de lui, sera la tête d'un petit corps qui se dissoudra s'il est tué. Il suffira de dire qu'un tel tient bon, pour savoir que le groupe de ses compagnons tient bon lui aussi.

C'est donc par lui qu'on les désigne. Quand il parle en son nom, il parle en leur nom, c'est le même. Pas moyen de les distinguer des autres comme unité sans passer par lui. Shakespeare appelle Cléopâtre Égypte, le roi de France, France, le duc de Kent, Kent. Dans la relation de suzerain à vassal, le nom joue un rôle de charnière : lorsque l'on dit le roi de France, le mot France désigne les gens et les biens, mais inversement si l'on dit les gens ou les biens de France, le mot France désigne le roi. C'est donc fort justement que dans un tel contexte l'histoire d'un pays sera l'histoire des rois de ce pays, le récit d'une guerre, celui des exploits des grands capitaines.

Dès qu'on prononce le nom d'un noble, c'est tout ce qu'il désigne qui apparaît aussitôt derrière lui, toute cette terre habitée, ces hommes liges, tout ce qu'il permet de connaître, qui apparaît comme arrière-fond, comme ombre sur laquelle il se détache lumineux. Mais aussi, tout ce qui se détache d'un tel fond, tout ce qui s'illustre, tout ce qu'on identifie, qui devient connu, provoque une ségrégation de l'ensemble. La lumière que l'individu projette sur lui-même rejaillit sur ceux qui l'entourent. Cette différence qu'il proclame ne peut rester purement individuelle, c'est la différenciation d'un groupe qui n'apparaissait pas encore. Il ne peut y avoir un nouveau noble sans la reconnaissance d'une nouvelle province.

Devenant ainsi le nom d'une nouvelle région, il entraîne avec lui tout ce dont il était déjà le nom, en particulier sa famille qu'il servait à désigner. Nous connaissons bien ce phénomène encore aujourd'hui : à l'intérieur d'une grande famille, pour distinguer les sous-groupes, on prendra le nom de l'individu le plus proche, le mieux connu : les grands-parents, oncles, tantes, cousins, se demanderont des nouvelles des Henri ou des Charles, et de l'autre côté comment ça va chez Madeleine ou Gene-

viève. Le héros qui s'illustre entraîne dans son mouvement de désignation sa femme et ses enfants. Alors qu'on
ne connaît pas ceux des autres, les siens deviennent
connus. Cette cellule tout entière passe en avant.

Ainsi c'est toute la société qui se re-structure dans la
conscience de chacun ; et, pour que les choses puissent
continuer, il est indispensable que toute démonstration
de puissance dans un lieu noble, dans un lieu de vérité,
corresponde à l'imposition d'un nom, qu'on anoblisse
tout bon soldat, et d'autre part qu'à la possession d'un
nom corresponde la possibilité de démontrer une puissance physique, une « valeur », sinon dans la guerre, du
moins dans un tournoi, ou en dernier ressort dans un
duel. Faute de quoi, on ne comprend plus pourquoi ce
sont ces gens-là qui portent ces noms-là. Le noble doit
par conséquent continuer à illustrer son nom ; sa vie, ses
exploits, doivent constamment nourrir la circulation
métaphorique qui le relie à ce qu'il désigne.

On voit très bien alors quel rôle l'épopée va jouer dans
l'équilibre d'un tel système. Il est indispensable, hors des
temps de crise ou d'éclat, de rappeler ce qui a permis à
telle famille de devenir le nom du peuple. Si pendant
trop longtemps l'enseigne d'une province, le duc, comte
ou marquis, n'a point fait parler de lui dans les régions
avoisinantes, c'est tout son peuple qu'on oublie ; si ses
vassaux n'ont plus l'occasion de parler de lui entre eux,
ils ne peuvent plus lui faire confiance, vont forcément
chercher si quelqu'un d'autre ne pourrait les désigner
mieux. Mais lorsque les exploits présents manquent, les
anciens peuvent les remplacer, et si le langage du narrateur acquiert une solidité suffisante, si les mots y sont
bien enchaînés les uns aux autres par une forme identifiable, il y a même tout avantage, car tel exploit ancien

qui sur le moment était comparable à cent autres, va
devenir grâce au poète qui l'a traité celui que l'on prend
pour exemple, donc de beaucoup le mieux connu, celui
auquel on comparera les exploits présents ; si le trouvère
est bon, la famille recevra de ses chansons une illustration considérable.

Donc, dans les moments où l'organisation féodale
risque de se dissoudre par l'incapacité de certains
nobles, l'épopée peut sauver une famille de l'obscurité
qui risquerait de l'engloutir, et donc un peuple du chaos,
de l'inévitable guerre qui serait la conséquence d'un tel
déclin. *La Jérusalem délivrée* est un dernier génial effort
pour essayer de rendre aux familles nobles le lustre
qu'elles sont en train de perdre.

Mais déjà à l'époque du Tasse les thèmes classiques de
l'épopée ne suffisent plus, car ils n'ont plus guère de
rapport avec ce qui peut effectivement vous faire connaître ou vous conférer la puissance. Les qualités physiques ou morales de l'individu ne lui permettent plus
d'organiser un groupe autour de lui dans une bataille,
parce que l'art de la guerre s'est compliqué de telle sorte,
tant d'instruments s'interposent désormais entre le bras
et la blessure, que le plus brave est toujours à la merci
d'un boulet, d'une balle lointaine, lancée par un ennemi
invisible qui peut être parfaitement lâche et faible. Le
combat singulier, épisode focal de la guerre et de la chanson de geste médiévales, leur point de plus haute signification, leur instant de vérité, n'a plus aucun sens. Désormais le combat a lieu dans la confusion, dans l'obscurité.
Tous les exploits anciens sont démodés. Dès lors, plus
moyen d'acquérir ou garder un nom de cette façon. La
noblesse, avec tous les avantages qui s'y attachent, se
met à apparaître de plus en plus comme une injustice,

peut-être nécessaire, mais on a de plus en plus l'impression que ce ne sont pas les bons individus qui sont aux bonnes places, que leur situation n'est due qu'à un hasard, un arbitraire, dont on veut espérer qu'il est surnaturel. C'est à ce moment seulement, on le sait, que s'élabore la théorie du « droit divin ».

Cés gens-là ne peuvent plus nous faire connaître, rien ne les qualifie plus pour cela, et d'autre part nous n'avons plus besoin d'eux pour être connus. Le développement de l'instruction et du commerce nous donne une conscience de l'univers, des différents peuples et États, qui ne passe plus par les nobles. Autrefois, le meilleur moyen de savoir quelque chose de l'Angleterre, c'était d'en voir le roi ; s'il était riche, c'est que son pays était riche, s'il était entouré d'une cour nombreuse, c'est que son pays était bien organisé, qu'il communiquait précisément avec lui. Tous ces signes si clairs autrefois, et auxquels on croyait encore lors de l'entrevue du « Camp du Drap d'Or », sont maintenant vidés. On sait bien qu'il n'y a plus aucun rapport entre les joyaux que peuvent porter les souverains et les ressources de leurs nations, que si Louis XIV est entouré d'une cour si nombreuse, c'est justement parce qu'il préfère se passer de sa noblesse pour communiquer avec les provinces. Le roi par conséquent commande encore, mais il ne représente plus.

La noblesse commande, mais on ne sait plus pourquoi. Comme elle n'implique aucune qualité, il faut qu'elle soit elle-même qualité. Elle se ferme complètement : il est impossible de « devenir » noble, il faut être « né ». Don Quichotte se trouve devant ce mur ; il n'y a plus dans l'Espagne qu'il habite aucun moyen pour lui de s'illustrer. Les leçons qu'il tire des romans de chevalerie ne peuvent que le rendre ridicule. Il se nomme lui-même

Don Quichotte de la Manche, mais il lui est impossible de trouver l'occasion de se faire nommer ainsi autrement que par dérision.

Mais si la noblesse n'est plus un langage, c'est qu'il y en a un autre, c'est qu'il y a d'autres personnes représentatives, dont il faut parler ou qui peuvent parler. Si je sais que le roi d'Angleterre ne représente plus son pays, c'est parce que je connais des marins, des drapiers qui m'en ont donné une représentation bien plus forte, à qui même les nobles s'adressent aujourd'hui.

Le héros romanesque est donc à l'origine quelqu'un qui sort d'une obscurité populaire ou bourgeoise, gravira les échelons de la société, sans pouvoir être intégré dans la noblesse. Il fraie avant les « grands », il est bientôt aussi connu, plus connu qu'eux. Il est par conséquent la dénonciation du fait que la hiérarchie actuelle de la société n'est qu'une apparence. Le thème fondamental du roman du xviiie siècle est celui du parvenu (Fielding, Lesage, Marivaux) : quelqu'un nous montre comment il est arrivé là, comment il en est arrivé à pouvoir écrire ce livre que lisent les dames. Il est finalement plus malin que tous ces nobles qui n'ont rien eu à faire pour atteindre leur rang. Par son ascencion il proclame que l'organisation connue de la société en cache une autre. L'épopée nous montrait, dans les moments où nous en doutions, que la société était bien organisée comme on le disait ; le roman au contraire oppose à la hiérarchie patente une autre secrète.

Le noble ne représente plus ce qu'il prétend représenter ; allons plus loin, il ne commande plus ce qu'il a l'air de commander. Avant même que le parvenu ait réussi à imposer sa victoire sur le plan romanesque comme « honnête homme », homme de bonne compagnie, homme qui parle le beau langage autrefois particulier au noble, un singulier héros romanesque avait succédé au chevalier d'autrefois : le criminel, entouré de toute une contre-noblesse que le roman picaresque nous découvrait.

Ainsi le *Lazarillo de Tormès* faisait pénétrer le lecteur dans une région fascinante toute proche, un monde inconnu, mystérieux, où tout prenait un autre sens. Celui-ci devrait obéir à celui-là ; regardez mieux, vous vous apercevrez que c'est l'inverse. La noblesse était l'union du pouvoir et de la lumière. Elle ne possède plus qu'une injuste lumière ; le pouvoir est maintenant l'apanage de l'obscurité. Tandis que les princes paradent, des inconnus, dans l'ombre, à l'insu de presque tous, commandent, détiennent la puissance. C'est à eux qu'il faut s'adresser si l'on veut parvenir, mais il vaut mieux bien sûr se taire sur ces fréquentations-là. Seule la fiction peut transmettre le mot de passe. Eux sont capables d'aplanir presque miraculeusement des obstacles que l'on croyait insurmontables.

Le roman picaresque découvre à son lecteur les entrailles, les dessous, les coulisses de la société. Tout le monde connaît la cour royale, fermée sans doute désormais, mais dont les fastes résonnent partout ; voici une cour à l'envers, plus semblable à certains égards, à ce que devrait être une cour, à ce qu'était une cour autrefois, que l'actuelle. Ce personnage en haillons que je croise, auquel je n'aurais prêté aucune attention sans ma lecture, est-il en réalité le chef d'une véritable armée, possède-t-il des trésors cachés dans des cavernes, est-il capable, lui, de ces exploits que les nobles ne peuvent plus faire, de provoquer chez ses compagnons d'armes des fidélités qu'on ne connaît plus ? Dès lors ce monde de la nuit, du mensonge, ne serait-il pas moins menteur que le grand

jour ? Serait-ce là le dernier refuge de la vérité, le dernier
« théâtre » où puisse éclater la qualité de quelqu'un ?

L'accession du parvenu à la lumière et au langage se
présente comme celle d'un individu dont les relations
familiales se distendent, alors que les nobles qu'il rejoint
sans pouvoir devenir l'un d'eux lui opposent toujours
leur naissance ; mais on voit bien qu'elle s'accompagne
nécessairement d'une réorganisation de la conscience que
la société a d'elle-même. Le parvenu est fier d'être lu
par les dames, mais il s'adresse avant tout à d'autres parvenus en puissance ; il les encourage, leur donne son
exemple, leur enseigne à rechercher sous les relations de
puissance avouées les relations réelles, sous les groupements reconnus, les véritables. Il détrompe, apprend à se
méfier, à se liguer. Il substitue aux leçons vaines des
romans de chevalerie l'école rude et discrète des bri-
gands.

Le thème de la société secrète devient fondamental
dans la littérature romanesque du xix⁰ siècle ; le romancier commence alors à prendre conscience du fait que son
œuvre elle-même, en dévoilant des dessous, détruisant
des apparences, livrant des secrets, va constituer le
noyau d'un groupement discret, d'une société entre ses
lecteurs, qu'il introduit une nouvelle association positive,
efficace, au milieu de celles qu'il dénonce ou propose
comme modèle. L'allusion à tel personnage, à tel détail,
leur permettra de se reconnaître à l'insu d'autrui, de se
distinguer de ceux qui n'ont pas encore lu, des naïfs, de
ceux qui sont encore dupes. Il sera l'origine d'un certain
langage, d'un groupement de conversations et d'affinités.
Bien commun, référence commune, il leur montrera ce
qu'ils ont en commun.

Ce thème chez Proust revêtira une forme particu-

lièrement remarquable, puisque c'est la noblesse elle-
même, c'est-à-dire ce qui était autrefois la partie la
mieux connue de la société, on peut presque dire la
seule vraiment connue, qui prendra cet aspect. La relation entre le nom de personne et le nom de pays s'est
définitivement distendue, l'aristocratie est donc devenue
tout à fait obscure pour l'homme de la rue. C'est un
souvenir. Mais des relations de puissances extrêmement
fortes n'y subsistent pas moins. Ce vieillard lamentable
que nous croisons, comme le gueux de tout à l'heure,
n'a en réalité qu'un mot à dire pour faire disparaître
ce mur auquel nous nous heurtons, non seulement à
l'intérieur de son milieu très fermé, mais aussi, grâce
au snobisme, à la fascination que le lustre ancien continue à exercer sur des individus aujourd'hui très puis-
sants, mais incertains de leur propre valeur, à l'intérieur de toute une frange qui s'y accroche.

Renversée, la noblesse touche à ce monde renversé,
cette société secrète par excellence qu'est le monde des
invertis. Déjà chez Balzac l'inversion sexuelle servait
de métaphore à ce renversement de la hiérarchie sociale
qui est un des moments fondamentaux de l'activité
romanesque : Vautrin est le Napoléon du bagne. Chez
Proust, Charlus, prince de cette société secrète qu'est
devenue le faubourg Saint-Germain, est aussi l'esclave
de Morel.

Il est donc très important que le roman comporte
lui-même un secret. Il ne faut pas que le lecteur sache
en commençant de quelle manière il finira. Il faut qu'un
changement pour moi s'y soit produit, que je sache en
terminant quelque chose que je ne savais pas auparavant, que je ne devinais pas, que les autres ne devine-
ront pas sans l'avoir lu, ce qui trouve une expression

particulièrement claire, comme on peut s'y attendre, dans des formes populaires comme le roman policier.

Nous voyons que l'individualisme romanesque est une apparence, qu'il est impossible de décrire la promotion d'un individu, l'un des thèmes majeurs du roman classique, sans décrire en même temps l'architecture d'un groupe social, ou plus exactement sans transformer la représentation que ce groupe social se fait de sa propre organisation, ce qui, à plus ou moins brève échéance, transforme cette structure elle-même. Le roman est l'expression d'une société qui change ; il devient bientôt celle d'une société qui a conscience de changer.

Les romans du xviiie siècle pouvaient nous promener d'étage en étage à l'intérieur de l'édifice social sans que leurs auteurs eussent conscience de bouleverser leur superposition. Seuls quelques parvenus effectuant le déplacement, l'ensemble restait à peu près stable. Mais bientôt les transformations seront si évidentes qu'il faudra bien tenter d'en rendre et tenir compte.

Tant que la noblesse, même déracinée, reste claire, bien connue, le roman peut être construit autour d'un individu isolé qui se détache de son milieu d'origine pour gravir les échelons sans les détruire. Son œuvre, ou son histoire, ajoutera à la représentation que la société se fait d'elle-même un autre volet qui complètera le premier. Et il est certain que la noblesse, le « beau monde », aura tout avantage à insister sur l'isolement de l'écrivain ou de son personnage.

Comme cela est passionnant, le fils d'un laboureur ou d'un épicier qui se met à fréquenter des ducs, qui renseigne les ducs sur les laboureurs ou les épiciers ; mais à la condition pourtant que les laboureurs pris dans leur

ensemble restent laboureurs, que leur soumission aux
ducs ne change point. Le parvenu fera partie de la
maison, du « salon », s'il en adopte le langage, s'il est
« décrassé », s'il a pris les tournures, la culture admise,
pour modèle, s'il peut faire illusion, si son origine rotu-
rière n'est pas trop voyante. Aussi l'originalité essentielle de sa personne doit-elle constamment se corriger, se
« châtier » par un académisme dont les lois de plus en plus
absurdes et sévères le feront bientôt réagir avec violence.

Le fils de laboureur ne doit plus parler comme un
laboureur, mais comme devraient parler les ducs ; c'est
lui bientôt qui est le seul témoin de leur langage, témoin
qu'ils veulent garder pur. Car les ducs, eux, pour bien
montrer qu'ils sont avertis (et aussi qu'ils sont au-dessus
de ces lois), vont encanailler leur conversation, orner
leur style d'expressions populacières.

Le divorce entre la noblesse et son langage que le
romancier parvenu constate au moment même où il
accède à ses « salons », l'enferme sur lui-même. Sur le
plan du style, il retrouve cette contradiction entre
puissance apparente et réelle. Contraint par les nobles
de parler comme eux-mêmes ne parlent plus, on pour-
chasse chez lui les expressions qui trahissent son origine,
et qu'eux par contre emploient de plus en plus. Sous
l'autorité linguistique proclamée se démasque peu à peu
son renversement. La véritable puissance est ailleurs,
dans cette région d'où il vient, mais avec laquelle il a
soigneusement coupé les communications, qui n'est
d'ailleurs pas prête à l'entendre, qui ne sait même pas
encore lire. Le soutien de la noblesse se révèle de plus
en plus trompeur ; elle s'écroule à tous points de vue,
et le soupçonne de plus en plus. Il se trouve donc isolé,
au milieu d'une foule qui ne le comprend pas encore,

abandonné par une noblesse qui refuse de le comprendre. Ainsi au thème du parvenu qui gravit peu à peu les échelons d'une hiérarchie tout en restant à l'extérieur, va succéder peu à peu au XIXe siècle celui de l'individu d'essence, sinon de naissance noble, opposant sa « qualité » spirituelle au naufrage de l'aristocratie, et perdu devant une foule opaque, devant cette puissance massive, obscure, qui n'a point de représentants évidents ; et comme la biographie d'un individu est devenue le type même de la construction romanesque, le romancier tentera de saisir la foule comme un énorme individu, mais un individu forcément incomplet, puisqu'on ne peut pas s'adresser à lui, puisqu'il ne sait pas répondre par des mots, donc, non pas un homme collectif, mais une bête collective, non point une conscience commune, mais une inconscience massive, qui ne raisonnera point, ne sera capable que des réactions affectives les plus élémentaires.

Dans la fameuse description que nous donne Stendhal de la bataille de Waterloo au début de *La Chartreuse de Parme,* nous voyons bien qu'aucun exploit, aucune illustration n'est plus possible (au contraire des batailles révolutionnaires quelques années plus tôt). Les armées sont réduites à des foules qui obéissent passivement à des ordres dont elles ne peuvent comprendre les raisons. Et Fabrice, le spectateur, qui aurait voulu s'illustrer, n'est même pas capable d'y discerner les hiérarchies :

> *Un quart d'heure après, par quelques mots que dit un hussard à son voisin, Fabrice comprit qu'un de ces généraux était le célèbre maréchal Ney; toutefois il ne put deviner lequel des quatre généraux était le maréchal Ney...*

Stendhal marque lui-même admirablement la distance qui sépare la guerre actuelle : choc de foules passives menées par des individus cachés, de la guerre chevaleresque :

> *Il commençait à se croire l'ami intime de tous les soldats avec lesquels il galopait depuis quelques heures. Il voyait entre eux et lui cette noble amitié des héros du Tasse et de l'Arioste...*

Quelques instants plus tard :

> *Il se mit à pleurer à chaudes larmes. Il défaisait un à un tous ses beaux rêves d'amitié chevaleresque et sublime, comme celle des héros de la* Jérusalem délivrée...

Alors que, dans le monde de l'épopée, le langage court d'un bout à l'autre de l'espace social, chaque noble dans son domaine pouvant communiquer avec le plus obscur, et la conversation des nobles entre eux établissant une circulation ininterrompue de conscience, ici l'individu, spirituellement noble, mais perdu dans la foule, se heurte à une coupure catastrophique. Tout le monde semble parler la même langue, et pourtant la communication se révèle impossible entre l'écrivain ou son héros, fermé sur lui-même, et cette foule menaçante. Ces gens avec lesquels il ne s'entend plus, et qui sont pourtant l'origine de toute puissance, il le voit bien, donc le sujet par excellence de ses récits, il va être obligé de les décrire comme des bêtes, et bientôt comme des objets. Cette tendance du romancier naturaliste vers une totale extériorité, qui n'est finalement que le moment critique de l'individualisme romanesque, celui où son insuffisance éclate, va bientôt le rendre totalement obscur à lui-même. Bien obligé de reconnaître qu'il est, malgré ses différences, l'un de ces gens, il sera comme dévoré par l'étrangeté absolue qu'il leur conserve. La distance qu'il prétend maintenir avec tout ce qui n'est pas lui s'introduira fatalement à l'intérieur de lui-même ; il risquera de se vider dans une sorte de fuite éperdue. Quant au réalisme socialiste, il en reste malheureusement trop souvent à une simple juxtaposition des mouvements de foule et des aventures individuelles, sans parvenir à établir entre ces deux pôles un moyen terme authentique. En cela il demeure au niveau d'une fausse épopée, la liaison organique de la noblesse y étant abolie sans rien qui la remplace. On saute de la biographie du dirigeant irremplaçable à la description de la foule qu'il commande, sans pouvoir ressaisir une continuité. Le seul rôle que puisse jouer une telle littérature est de soutenir, la hiérarchie qui s'est établie, mais comme elle ne parvient pas, malgré ses efforts, à la justifier clairement, comme le lien interne manque, cette hiérarchie est contrainte de la contrôler constamment, alors que naturellement aux temps de l'épopée un tel contrôle était parfaitement inutile. Le romancier du réalisme socialiste reste presque toujours, malgré ses bonnes intentions, un individu perdu dans une foule étrangère, dont les dirigeants se méfient ; le fait même qu'il accepte leur censure montre qu'il est conscient du décalage.

Seul un profond renouvellement des structures narratives peut permettre de surmonter une si grave contradiction, peut permettre par conséquent au roman, dans les pays où le réalisme socialiste a cours aujourd'hui, de déployer son activité progressive fondamentale. Il va de soi que toutes les grandes œuvres du passé nous donneront les plus précieuses indications dans cette recherche.

Il est indispensable que le récit saisisse l'ensemble de la société non point de l'extérieur comme une foule que l'on considère avec le regard d'un individu isolé, mais de l'intérieur, comme quelque chose à quoi l'on appartient, et dont les individus, si originaux, si éminents qu'ils soient, ne sauraient jamais se détacher complètement.

Tout langage est d'abord dialogue, c'est-à-dire qu'il ne peut être l'expression d'un individu isolé. Toute parole entendue suppose une première et une seconde personnes. Je saisis ce que se disent les gens les uns aux autres avant de savoir qui ils sont, et les deux pôles en présence se définissent pour moi corrélativement. La société dont je fais partie est un ensemble de dialogue, c'est-à-dire que n'importe qui peut arriver à dire quelque chose (pas n'importe quoi) à n'importe qui d'autre, ensemble qui se divise, s'organise en sous-ensembles : je ne parle pas de la même façon à tous ses membres ; il y a des mots que tel ou tel ne connaît pas, ne comprend pas, certaines allusions, références, résonances qui ne fonctionneront que pour les uns, en particulier ceux qui auront fait les mêmes lectures que moi. C'est ainsi que l'existence d'un roman déterminera automatiquement un groupe de dialogues possibles, ses personnages, ses anecdotes étant autant de références, d'exemples mis à la disposition de ses lecteurs directs ou indirects (ceux qui auront lu un compte rendu, en auront entendu parler, etc.). Le « langage » d'un individu sera strictement déterminé par les différents groupes auxquels il appartient à l'intérieur de la société ; des éléments de provenance diverse pourront s'organiser, s'agréger de façon originale, si originale parfois que tel cas particulier risque d'être son seul interlocuteur possible ; si cet individu ne parvient point à forcer tel mur, alors son « langage » se dissout en ses éléments, ou le détruit dans la folie ou le suicide ; mais s'il réussit au contraire à se faire entendre, c'est que la configuration de groupe dont il est un exemple caractéristique est de plus en plus fréquente : la synthèse, l'invention qui se réalise par lui vaut pour d'autres que lui, va rassembler des individus analogues entre lesquels il instituera un mode de communication, à qui il donnera force, va organiser un groupe original qui pourra transformer profondément la figure de la société et son langage tout entier.

De même qu'on commence à faire de la géométrie en parlant de points et en disant que les lignes sont faites de points, puis qu'on est obligé de renverser les choses et de définir un point par la rencontre de deux lignes, de même la pensée romanesque commence par concevoir les groupes comme des sommes d'individus jusqu'au jour où il lui faut reconnaître qu'elle ne peut définir proprement un individu que comme la rencontre de plusieurs groupes.

Si je commence un récit en déclarant qu'un tel est fils d'un laboureur, ces deux individus ne m'apparaissent encore que dans leur relation l'un à l'autre, et leur situation commune à l'intérieur d'un ensemble social auquel j'appartiens moi aussi, si vaste qu'il faille le définir dans l'espace ou le temps ; si j'ajoute qu'il est blond, c'est que cette qualité le distingue d'autres fils de laboureurs, ou du moins d'autres membres de cet ensemble, et qu'une telle distinction a vraisemblablement de l'importance, qu'il y a dans le milieu où se déroule l'affaire soit un avantage, soit un désavantage à être blond, qu'il est grand, cela veut dire plus grand que d'autres, ou plus grand que nous, etc.

Reprenons l'exemple du parvenu dans un roman du XVIIIᵉ siècle : ce fils de laboureur finira par frayer avec un duc. Une fois achevée son ascension, les mots « laboureur » et « duc » ont conservé à peu près le même sens,

ces deux « états » à peu près la même distance. La hiérarchie se présente donc comme un invariant par rapport
auquel se déplace un individu dont la personnalité
s'enrichit peu à peu. Mais en regardant de plus près on
voit que cette invariance n'est qu'une abstraction, et,
de plus en plus, le nombre des parvenus augmentant,
on sera obligé de tenir compte de la déformation qui
s'est produite au cours du récit dans la hiérarchie elle-
même, si bien que ce qui change, ce ne sera plus seulement la position de l'individu qui fait « carrière », mais
celle des trois individus qui nous servent de repères.
Appelons-les A, B et C ; il me sera bientôt impossible
de faire comme si la distance entre B et C restait cons-
tante. L'aventure contée ne sera donc plus celle de A
allant de B en C, mais la transformation de la figure
A B C en A′ B′ C′.

Il faut qu'il y ait des conditions très particulières pour
que l'on puisse suivre l'évolution d'un individu pas à pas,
comme pour qu'on puisse observer les mouvements
d'une foule de l'extérieur. Le cas général est celui de
l'évolution conjuguée de divers individus à l'intérieur
d'un milieu en transformation plus ou moins rapide.

A une construction romanesque linéaire succède par
conséquent une construction polyphonique. Le roman
par lettres du xviiie siècle nous montre déjà une poly-
phonie très claire d'aventures individuelles. Tous les
grands romans du xixe siècle vont y ajouter une poly-
phonie de fonds sociaux.

Chaque personnage n'existe que dans ses relations
avec ce qui l'entoure : gens, objets matériels ou culturels.
La notion de laboureur, qu'on croyait stable, je ne puis
plus m'en servir pour caractériser une fois pour toutes
mon héros. De plus, ce père laboureur n'est pas un labou-

reur comme les autres, et c'est pourquoi son fils a eu
cette promotion, ou bien il est comme les autres, et
alors tous les fils de laboureurs peuvent avoir la même
pourvu qu'ils rencontrent telle personne ou circonstance,
qui devient, elle, caractéristique. Autant dire que c'est
la carrière du parvenu qui nous éclairera sur ses origines,
et par conséquent la personnalité de son père, ou de tel
autre, ne nous sera connue que corrélativement à la
sienne, ceci naturellement à des degrés divers, cette
individualisation se faisant toujours progressivement
par rapport à un horizon de foule.

Ce qui est clair et éclairant, c'est cette figure, stable
ou mouvante, à l'intérieur de laquelle je puis m'insérer
comme lecteur, à tel ou tel endroit, considérant les
choses d'un point de vue ou d'un autre. L'individu
romanesque ne peut jamais être entièrement déterminé,
il reste ouvert, il m'est ouvert pour que je puisse me
mettre à sa place ou du moins me placer par rapport à lui.

Mais si l'on peut s'installer à différents points des
figures, ce qui est impliqué par une écriture polyphonique, n'en découle-t-il pas que le parcours que j'y
réalise comme lecteur doit pouvoir se faire de plusieurs
façons ? De même qu'il est rare que les aventures d'un
individu se détachent à tel point par rapport aux autres
que l'on puisse en écrire une biographie linéaire qui
suive à peu près l'ordre chronologique mais que le cas
général est celui d'individus qui évoluent les uns par
rapport aux autres dans le même temps, de même, si
parfois l'ordre dans lequel il convient de rapporter les
aventures peut s'imposer absolument, n'est-il point fréquent au contraire qu'il y ait plusieurs solutions tout
aussi bonnes, et que la décision de raconter ceci avant
cela ne soit finalement arbitraire ? Le passage du récit

linéaire à un récit polyphonique ne doit-il pas nous amener à la recherche de formes mobiles ? On sait que les progrès de la pensée polyphonique dans la musique contemporaine ont conduit les compositeurs à la même question.

Imaginons une correspondance entre deux personnes. Si chacun attend que l'autre ait répondu pour écrire à son tour, les lettres se disposent tout naturellement dans l'ordre chronologique, mais si elles s'écrivent plus souvent, envoyant chacune une lettre par jour, répondant à celle du jour précédent, nous aurons deux séries s'entrecroisant, et il sera extrêmement difficile de trouver chaque fois une justification pour mettre en premier un des deux textes contemporains. Isoler les séries ne serait qu'un pis-aller, puisqu'on perdrait la suite extrêmement forte que forment les lettres de chaque correspondant. Il faut donc disposer les textes de telle sorte que ceux qui sont écrits en même temps apparaissent à l'œil du lecteur en même temps, par exemple, ceux de A sur le verso, ceux de B sur le recto d'en face. On aura alors un mobile cohérent dans lequel chaque lecteur pourra varier ses parcours, lisant soit les doubles pages dans l'ordre habituel verso recto, soit inversant cet ordre, soit prenant la suite des rectos ou celle des versos.

Si l'on augmente le nombre des correspondants, ce qui était une exception devient règle, il y aura de plus en plus de lettres contemporaines ou intercalées. L'étude des propriétés visuelles de cet objet qu'est un livre permettra d'apporter à de tels problèmes des solutions toutes nouvelles qui non seulement ouvriront des perspectives immenses à l'art du roman, mais mettront à la disposition de chacun de nous des instruments pour saisir le mouvement des groupes dont nous faisons partie.

RECHERCHES
SUR LA TECHNIQUE DU ROMAN

1. *La notion de récit et le rôle du roman dans la pensée contemporaine.*

Le monde, dans sa majeure partie, ne nous apparaît que par l'intermédiaire de ce qu'on nous en dit : conversations, leçons, journaux, livres, etc. Très vite, ce que nous voyons de nos yeux, ce que nous entendons de nos oreilles, ne prend son sens qu'à l'intérieur de ce concert.

L'unité élémentaire de ce récit dans lequel nous baignons constamment, nous pouvons l'appeler une « information », ou, comme on dit, une « nouvelle ». « Savez-vous la nouvelle ? » nous crie-t-on, « jusqu'à présent on disait ceci ou cela, désormais il faudra dire autrement. » Celui qui voit un fait inattendu devient porteur d'une « nouvelle » qu'il doit diffuser alentour. Le récit public, le savoir du monde doit se déformer.

Dans certains cas, la « nouvelle » va trouver sa place sans la moindre difficulté à l'intérieur de ce qu'on disait auparavant ; elle n'implique qu'une correction de détail, laissant le reste intact. Mais lorsque le nombre et l'importance de ces « nouvelles » vont augmenter, nous ne saurons plus où les mettre, qu'en faire.

Dès lors, ce que nous devrions savoir, il nous est impossible d'en tenir compte. Nos yeux auront beau voir, nos oreilles entendre, cela ne nous servira plus de rien. Nous serons misérables au milieu de notre richesse, qui s'enfuira dès que nous la voudrons saisir, nouveaux Tantales jusqu'au jour où nous aurons trouvé le moyen de mettre de l'ordre à l'intérieur de toutes ces informations, de les organiser de façon stable.

Le récit nous donne le monde; mais il nous donne fatalement un monde faux. Si nous voulons expliquer à Pierre qui est Paul, nous lui racontons son histoire : nous choisissons parmi nos souvenirs, notre savoir, un certain nombre de matériaux que nous arrangerons pour constituer une « figure », et nous savons bien que nous échouons la plupart du temps, dans une mesure plus ou moins large, que le portrait que nous avons fait est à certains égards inexact, qu'il y a toutes sortes d'aspects de cette personnalité que nous connaissions bien et qui ne « collent » pas avec l'image que nous avons donnée.

Pas seulement lorsque nous parlons à autrui ; le décalage est aussi grave quand nous nous parlons à nous-mêmes. Tout d'un coup, nous apprenons une surprenante « nouvelle » concernant Paul : « Mais comment cela est-il possible ? » Et puis le souvenir revient ; non, il ne nous avait pas caché cette intention ou cette partie de sa vie, il nous en avait parlé même longuement, mais nous avions oublié tout cela, nous l'avions exclu de notre « résumé », nous ignorions comment le raccrocher au reste.

Que de fantômes ainsi entre nous et le monde, entre nous et les autres, entre nous-mêmes et nous !

Or ces fantômes, il nous est possible de les nommer, de les poursuivre. Nous savons bien que dans ce qu'on nous raconte, il y a des choses qui ne sont pas vraies, non seulement des erreurs mais des fictions, nous savons bien que le même mot français « histoire » désigne à la fois le mensonge et la vérité, la conscience même que nous avons du monde en mouvement, l' « Histoire universelle », notre vigilance, et les contes que nous faisons pour endormir les enfants et cet enfant qui en nous tarde toujours à s'endormir ; nous savons bien que le Père Goriot n'a pas existé de la même façon que Napoléon Bonaparte.

Nous sommes à chaque instant obligés de faire intervenir dans les récits une distinction entre le réel et l'imaginaire, frontière très poreuse, très instable, frontière qui recule constamment, car ce qu'hier nous prenions pour le réel, la « science » de nos grands-parents, ce qui semblait l'évidence même, nous le reconnaissons aujourd'hui comme imagination.

Impossible de céder à l'illusion que cette frontière serait définitivement arrêtée. Chassez l'imaginaire, il revient au galop. Le seul moyen de dire la vérité, d'aller à la recherche de la vérité, c'est de confronter inlassablement, méthodiquement, ce que nous racontons d'habitude avec ce que nous voyons, entendons, avec les informations que nous recevons, c'est donc de « travailler » sur le récit.

Le roman, fiction mimant la vérité, est le lieu par excellence d'un tel travail ; mais dès que celui-ci se fera suffisamment sentir, donc dès que le roman réussira à s'imposer comme langage nouveau, imposer un langage nouveau, une grammaire nouvelle, une nouvelle façon de lier entre elles des informatios choisies comme exemples, pour enfin nous montrer comment sauver celles qui nous concernent, il proclamera sa différence d'avec ce qu'on dit tous les jours, et apparaîtra comme poésie.

Il y a certes un roman naïf et une consommation naïve du roman, comme délassement ou divertissement, ce qui permet de passer une heure ou deux, de « tuer le temps », et toutes les grandes œuvres, les plus savantes, les plus ambitieuses, les plus austères, sont nécessairement en communication avec le contenu de cette énorme rêverie, de cette mythologie diffuse, de cet innombrable commerce, mais elles jouent aussi un rôle tout autre et absolument décisif : elles transforment la façon dont nous voyons et racontons le monde, et par conséquent transforment le monde. Un tel « engagement » ne vaut-il pas tous les efforts ?

2. *La suite chronologique.*

Le conteur originel, l' « aède », qui tient, comme on dit, l'auditoire « suspendu » à ses lèvres, pour mieux l'identifier avec ses héros doit lui présenter les événements dans l'ordre où ils ont dû les vivre. Le temps du récit est alors comme une contraction du temps de l'aventure.

Je dis bien les événements, car il apparaît tout de suite que l'on ne peut descendre au-dessous d'une certaine échelle, qu'il ne s'agit point de l'ordre des mots, ni même des phrases, tout au plus de celui des épisodes. Pourtant cet arrangement linéaire même grossier se heurte à toutes sortes de difficultés : le fil se brise, se retourne. Vous pouvez relire l'*Odyssée.*

Dès qu'il y a deux personnages importants, et qu'ils se séparent, nous serons obligés de quitter quelque temps les aventures de l'un pour savoir ce que l'autre a fait pendant la même période.

Tout personnage nouveau, à y regarder d'un peu plus près, amène des explications sur son passé, un retour en arrière, et bientôt ce qui sera essentiel pour comprendre le récit, ce ne sera pas seulement le passé de tel ou tel, mais ce que les autres en connaissent ou ignorent à tel moment ; il faudra donc réserver des surprises, des aveux, des révélations.

Balzac, multipliant les personnages, et revenant sur eux sans se lasser, s'est naturellement trouvé devant ce problème qu'il aborde longuement dans la préface d'*Une fille d'Ève :*

> *Vous rencontrez au milieu d'un salon un homme que vous avez perdu de vue depuis dix ans : il est premier ministre ou capitaliste, vous l'avez connu sans redingote, sans esprit public ou privé, vous l'admirez dans sa gloire, vous vous étonnez de sa fortune ou de ses talents ; puis vous allez dans un coin du salon, et là, quelque délicieux conteur de société vous fait, en une demi-heure, l'histoire pittoresque des dix ou vingt ans que vous ignoriez. Souvent cette histoire scandaleuse ou honorable, belle ou laide, vous sera-t-elle dite le lendemain, ou un mois après, quelquefois par parties. Il n'y a rien qui soit d'un seul bloc dans ce monde, tout y est mosaïque. Vous ne pouvez raconter chronologiquement que l'histoire du temps passé, système inapplicable à un présent qui marche.*

On s'en tire généralement en organisant son récit autour d'un fil chronologique fort grossier, toute précision dans les dates mettant cette « forme » en danger, auquel s'agglomèrent au petit bonheur des références, des souvenirs, des explications. Dès qu'on fixe son attention sur ce problème, on s'aperçoit qu'en fait aucun roman classique n'est capable de suivre les événements d'une façon simple (d'ailleurs la poétique

humaniste ne recommandait-elle point de commencer
la narration ou le spectacle *in medias res*) ; il faut donc
étudier les structures de succession.

3. *Contrepoint temporel.*

Un effort rigoureux pour suivre l'ordre chronologique
strict, en s'interdisant tout retour en arrière, amène à
des constatations surprenantes : toute référence à
l'histoire universelle devient impossible, toute référence
au passé des personnages rencontrés, à la mémoire, et
par conséquent toute intériorité. Les personnages sont
alors nécessairement transformés en choses. On ne peut
les voir que de l'extérieur, et il est même presque impossible de les faire parler. Au contraire, dès que l'on fera
intervenir une structure chronologique plus complexe,
la mémoire apparaîtra comme un de ses cas particuliers.

Je m'empresse de dire que les structures chronolo-
giques de fait sont d'une complexité tellement vertigi-
neuse que les schémas les plus ingénieux utilisés soit
dans l'élaboration de l'ouvrage, soit dans son exploration critique, ne pourront jamais être que de grossières
approximations. Ils n'en projettent pas moins une vive
lumière ; il faut bien commencer par les premiers degrés.

Quand les épisodes racontés par un « retour en arrière »
s'ordonnent eux aussi selon l'ordre chronologique, il se
produit la superposition de deux suites temporelles,
comme de deux voix en musique. On trouve déjà un
exemple rigoureux de ce « dialogue entre deux temps »
dans le « Récit de Souffrances » qui fait partie des *Étapes
sur le chemin de la vie* de Soeren Kierkegaard. Le narra-

teur y tient un « journal » de l'année précédente, qu'il entremêle de notations sur le présent :

Les lignes que j'écris le matin se rapportent au passé et appartiennent à l'année dernière; celles que j'écris maintenant, ces « pensées nocturnes », constituent mon journal de l'année courante.

C'est entre ces deux « voix » que joue une « épaisseur » ou une « profondeur » psychologique.

Ici le parallélisme a été cherché avec grand soin. Nous pouvons, bien sûr, augmenter le nombre des voix. Imaginons que le narrateur tienne non seulement un double, mais un quadruple journal ; inévitablement se multiplieront à l'intérieur de l'œuvre des renversements de chronologie. On va remonter le cours du temps, plonger de plus en plus profondément dans le passé, comme un archéologue ou un géologue qui, dans leurs fouilles, rencontrent d'abord les terrains récents, puis, de proche en proche, gagnent les anciens.

L'apparition de nouvelles données va parfois modifier à tel point ce que l'on savait d'une histoire qu'il faudra la dire deux fois, ou plus.

Parallélismes, renversements, reprises, l'étude de l'art musical montre qu'il s'agit là de données élémentaires de notre conscience du temps.

Chaque événement apparaît comme pouvant être le point d'origine et de convergence de plusieurs suites narratives, comme un foyer dont la puissance est plus ou moins grande par rapport à ce qui l'entoure. La narration n'est plus une ligne, mais une surface dans laquelle nous isolons un certain nombre de lignes, de points, ou de groupements remarquables.

A ces retours en arrière il faut bien sûr ajouter tous

ces regards en avant que sont les projets, ce monde des possibilités.

4. *Discontinuité temporelle.*

Chaque fois que nous quittons une nappe de récit pour une autre, le « fil » est rompu. Toute narration se propose à nous comme un rythme de pleins et de vides, car non seulement il est impossible de raconter tous les événements dans une succession linéaire, mais à l'intérieur d'une séquence de donner toute la suite des faits. Nous ne vivons le temps comme continuité qu'à certains moments. De temps en temps le récit procèdera par flux, mais entre ces îlots de flux, nous ferons presque sans nous en douter d'énormes sauts.

L'habitude nous empêche de faire attention à ces formules qui jalonnent les œuvres les plus filées, les plus coulantes : « le lendemain... », « quelque temps plus tard... », « quand je le revis... ».

Comme la vie contemporaine a prodigieusement accentué la brutalité de ce discontinu, bien des auteurs se sont mis à procéder par blocs juxtaposés, voulant nous faire bien sentir les ruptures ; il y a certes là un progrès, mais de même que le plus souvent les retours en arrière venaient au petit bonheur, au fil de la plume, au gré de l'inspiration du moment, sans contrôle, de même ces coupures sont souvent opérées sans grande justification.

Il s'agit donc de préciser une technique de l'interruption et du saut, ceci en étudiant naturellement les rythmes objectifs sur lesquels repose en fait notre évaluation du temps, les résonances qui se produisent à l'intérieur de cet élément. Ici encore, l'attention portée

à ce que l'on prend d'ordinaire comme allant de soi
révèle une inépuisable richesse.

Lorsque j'utilise au début d'une phrase une expression
comme « le lendemain... », je renvoie en fait à un rythme
essentiel de notre existence, à cette reprise qui se fait
chaque jour après l'interruption du sommeil, à toute
cette forme déjà tellement prévue qu'est, pour chacun de
nous, une journée. Le temps est alors saisi dans son
jalonnement essentiel. Non seulement chaque événement
va être l'origine d'une enquête sur ce qui l'a précédé
et ce qui l'a suivi, va, peut le suivre, de proche en proche,
mais il va éveiller des échos, allumer des lueurs dans
toutes ces régions du temps qui par avance lui répondent :
la veille ou le lendemain, la semaine d'avant ou celle
d'après, tout ce qui peut donner un sens précis à cette
expression : la fois précédente ou la fois suivante.

Chaque date propose ainsi tout un spectre de dates
harmoniques.

5. *Vitesses.*

Le blanc, la juxtaposition pure et simple de deux
paragraphes décrivant deux événements éloignés dans
le temps apparaît alors comme la forme de récit la plus
rapide possible, une vitesse qui efface tout. A l'intérieur
de ce blanc, l'auteur peut introduire un jalonnement
qui forcera le lecteur à mettre un certain temps pour
passer de l'un à l'autre, et surtout à assigner une certaine échelle entre ce temps de lecture et celui de l'aventure.

Dans la situation la plus simple, celle du conteur, il y
a déjà superposition de deux temps, celui du récit étant

la contraction de l'autre. Mais dès que l'on peut parler d'un « travail » littéraire, et donc dès que nous abordons la région du roman, il faut superposer au moins trois temps : celui de l'aventure, celui de l'écriture, celui de la lecture. Ce temps de l'écriture va souvent se réfléchir dans l'aventure par l'intermédiaire d'un narrateur. On suppose d'habitude entre ces différents écoulements une progression de vitesses : ainsi l'auteur nous donne un résumé que nous lisons en deux minutes (qu'il a pu mettre deux heures à écrire), d'un récit que tel personnage aurait fait en deux jours, d'événements s'étalant sur deux ans. Nous avons ainsi des organisations de vitesses différentes du récit. On sent toute l'importance que pourront avoir à cet égard les passages où il se produit une coïncidence entre la durée de la lecture et la durée de ce qu'on lit, par exemple dans tous les dialogues, à partir desquels on pourra mettre en évidence précisément des ralentissements ou des accélérations.

Dans le roman par lettres du xviiie siècle, on trouve déjà une introduction de la lecture comme élément fondamental à l'intérieur de ce qui est narré. Nous, lecteur réel, allons mettre le même temps que Julie pour lire la lettre de Saint-Preux (à peu près) ; nous donnons en fait à ce lecteur fictif notre diapason, tout le reste s'accordant ensuite à partir de là.

L'idéal du récit quotidien, c'est, bien sûr, de ne retenir que l'important, le « significatif », c'est-à-dire ce qui peut remplacer le reste, ce par quoi le reste est donné, et par conséquent de passer ce reste sous silence, et même, procédant par degrés, de « s'attarder » sur l'essentiel et de « glisser » sur le secondaire. Mais un tel parallélisme entre la longueur occupée par un épisode et sa valeur significative est dans l'immense majorité

des cas une pure illusion ; un mot peut avoir des conséquences plus grandes qu'un long discours. Nous assis-
terons par conséquent à des inversions de structures.
On pourra souligner l'importance de tel moment par
son absence, par l'étude de ses alentours, faire sentir
ainsi qu'il y a une lacune dans le tissu de ce qu'on raconte
ou quelque chose que l'on cache.

Ceci n'est possible que par une utilisation méthodique
des jalonnements temporels, car ce n'est que si nous
avons pris soin de dire où était Pierre lundi, mardi,
jeudi, vendredi, et samedi, qu'apparaît soudain mer-
credi comme un vide (on trouve déjà cela dans le roman
policier) ou par une description soigneuse des bords,
des coupures, de ce qui nous empêche à tel moment d'en
savoir plus long.

6. *Les propriétés de l'espace.*

La coulée, la marche du temps, nous ne la vivons
que par prélèvements. Chaque fragment nous apparaît
certes comme orienté, comme ayant une durée, et
comme devant s'orienter par rapport aux autres fragments, mais il nous apparaît toujours comme un fragment, se présentant sur fond d'oubli ou d'inattention.

En fait pour pouvoir étudier le temps dans sa continuité, donc pouvoir mettre en évidence des lacunes, il
est nécessaire de l'appliquer sur un espace, de le considérer comme un parcours, un trajet.

N'est-il pas singulier que les métaphores employées
par Bergson pour nous rendre sensibles à certains aspects
« continus » de notre expérience du temps soient justement
ment à son insu des métaphores éminemment spatiales :

le courant de conscience, le fleuve, le cône de la mémoire, ou encore ce morceau de sucre qu'il nous invite à observer tandis qu'il se dissout peu à peu dans un verre d'eau, expérience qui ne peut nous donner un tel sentiment de lenteur — « il faut attendre que le sucre fonde » — que parce que nous sommes capables de mesurer, constatant ce qu'il demeure du volume primitif, la vitesse du processus.

C'est en déplaçant le regard sur un espace clairement imaginable que nous pourrons véritablement suivre la marche du temps, étudier ses anomalies. Mais l'espace dans lequel nous vivons n'est pas plus celui de la géométrie classique que notre temps celui de la mécanique qui lui correspond, c'est un espace dans lequel les directions ne sont nullement équivalentes, un espace encombré d'objets qui déforment tous nos parcours, et où le mouvement en ligne droite est en général impossible d'un point à un autre, avec des régions ouvertes ou fermées, l'intérieur des objets par exemple, et surtout comportant toute une organisation de liaisons entre ses différents points : moyens de transport, références, qui font que les proximités vécues ne sont nullement réductibles à celles de la cartographie.

Un essai d'application de figures géométriques simples à l'espace vécu va nous permettre de dévoiler toutes sortes de propriétés de celui-ci généralement passées sous silence. On va ainsi pouvoir explorer méthodiquement ses densités, ses orientations, les modes de puissance des différents lieux les uns par rapport aux autres. Le déplacement physique d'un individu, le voyage, apparaîtra comme cas particulier d'un « champ local », comme on dit un « champ magnétique ». Les lieux ayant toujours une historicité, soit par rapport à l'histoire universelle, soit par rapport à la biographie de l'individu, tout déplacement dans l'espace impliquera une réorganisation de la structure temporelle, changements dans les souvenirs ou dans les projets, dans ce qui vient au premier plan, plus ou moins profond et plus ou moins grave.

Remarquons en passant que, s'il est facile de trouver des points de relative coïncidence en ce qui concerne les durées, la forme habituelle de nos livres ne le permet pas si directement pour les espaces. C'est pourquoi on trouve un tel effort dans certaines œuvres contemporaines pour imposer des « visions » sans équivoque à l'imagination du lecteur, ces descriptions minutieuses d'objets, avec leurs dimensions précises et la situation des détails : ce qui est en haut, ce qui est à droite, ce nouveau réalisme optique qui a tant surpris.

Cette attention donnée aux objets amène nécessairement à la considération des propriétés du livre même en tant qu'objet, à l'utilisation systématique de son espace, l'emploi d'illustrations, etc.

7. *Personnes.*

Dans la lecture de l'épisode le plus simple d'un roman il y a toujours trois personnes impliquées . l'auteur, le lecteur, le héros. Celui-ci prend normalement la forme grammaticale de la troisième personne du verbe : il est celui dont on nous parle, dont on nous raconte l'histoire.

Mais il est facile de voir quels avantages il peut y avoir pour l'auteur à introduire dans son ouvrage un représentant de lui-même, un narrateur, celui qui nous raconte sa propre histoire, à nous dire « je ».

Le « il » nous laisse à l'extérieur, le « je » nous fait entrer à l'intérieur, mais cela risque d'être un intérieur fermé comme le cabinet noir dans lequel un photographe développe ses clichés. Ce personnage ne peut nous dire ce qu'il sait de lui-même.

C'est pourquoi s'introduit parfois dans l'ouvrage un représentant du lecteur, de cette deuxième personne à qui le discours de l'autre s'adresse : celui à qui l'on raconte sa propre histoire.

Cette première et surtout cette seconde personnes romanesques ne sont plus des pronoms simples comme ceux dont nous usons dans nos conversations réelles. Le « je » cache un « il » ; le « vous » ou le « tu » cache les deux autres personnes et établit entre elles une circulation.

On va chercher à rendre aussi apparente que possible une telle circulation, en faisant varier les rapports entre personnes du verbe et personnages : ainsi, dans les romans par lettres, chaque personnage important devenait à son tour « je », « vous », « il ».

A ces permutations on va combiner des superpositions : le narrateur qui, tel le romancier, « donne la parole » et la première personne à quelqu'un d'autre.

On réalise ainsi toute une architecture pronominale qui va permettre d'introduire dans un ensemble romanesque une clarté nouvelle et donc d'explorer, de dénoncer de nouvelles obscurités.

Une étude plus poussée des fonctions pronominales montrerait leur liaison étroite avec les structures temporelles. Pour prendre un seul exemple, un procédé comme le « monologue intérieur » est la liaison d'un récit à la première personne avec l'abolition imaginaire de toute distance entre le temps de l'aventure et celui du récit, le personnage nous racontant son histoire dans l'instant même où elle se produit. Une notion comme celle de « sous-conversation » permet de briser la prison dans laquelle le monologue intérieur classique reste enfermé, et de justifier de façon bien plus plausible les retours en arrière, les remémorations.

Le jeu des pronoms ne permet pas seulement de distinguer les personnages les uns des autres, il est aussi le seul moyen que nous ayons de distinguer proprement les différents niveaux de conscience ou de latence qui constitue chacun d'eux, de les situer parmi les autres et parmi nous.

8. *La transformation des phrases.*

Liaisons des temps, des lieux et des personnes, nous sommes en pleine grammaire. Il faudra appeler à son secours toutes les ressources de la langue. La petite phrase que nous recommandaient nos professeurs d'antan, « légère et court vêtue », ne suffira plus. Dès que l'on sortira des sentiers battus, il faudra préciser quelle est la « conjonction » entre deux propositions qui se suivent. On ne pourra plus la laisser sous-entendue. Dès lors les petites phrases vont se rassembler en grandes phrases, quand il le faudra, ce qui permettra d'utiliser à plein, comme certains grands auteurs d'autrefois, le magnifique éventail de formes que nous proposent nos conjugaisons.

Quand ces ensembles verbaux deviendront par trop considérables, ils se diviseront tout naturellement en paragraphes, se charpenteront de répétitions, joueront de tous les contrastes de couleurs que permettent les

différents « styles », par citations ou parodies, isoleront
leurs parties énumératives par une disposition typographique appropriée.

Ainsi le chercheur perfectionne nos outils.

9. *Structures mobiles.*

Lorsqu'on accorde tant de soin à l'ordre dans lequel
sont présentées les matières, la question se pose inévitablement de savoir si cet ordre est le seul possible, si le
problème n'admet pas plusieurs solutions, si l'on ne peut
et doit prévoir à l'intérieur de l'édifice romanesque
différents trajets de lecture, comme dans une cathédrale
ou dans une ville. L'écrivain doit alors contrôler l'œuvre
dans toutes ses différentes versions, les assumer comme
le sculpteur responsable de tous les angles sous lesquels
on pourra photographier sa statue, et du mouvement qui
lie toutes ces vues.

La Comédie humaine donne déjà l'exemple d'une
œuvre conçue en blocs distincts que chaque lecteur, en
fait, aborde dans un ordre différent. En ce cas l'ensemble
des événements racontés demeure constant. Quelle que
soit la porte par laquelle nous entrons, c'est la même
chose qui s'est passée ; mais on peut avoir l'idée d'une
mobilité supérieure, tout aussi précise et bien définie, le
lecteur devenant responsable de ce qui arrive dans le
microcosme de l'œuvre, miroir de notre humaine condition, en grande partie à son insu, bien sûr, comme dans
la réalité, chacun de ses pas, de ses choix, prenant et
donnant sens, l'éclairant sur sa liberté.

Un jour, sans doute, nous en serons là.

SUR LA PAGE

Je ne parlerai que de l'imprimé, laissant de côté les manuscrits, si actuel que puisse être aujourd'hui leur enseignement, et tous ces prodiges de virtuosité qui cherchent à nous restituer l'aspect d'un brouillon, tout ce qui a été fait pour les poèmes de la folie de Hölderlin, le *Carnet* de Baudelaire, ou les documents concernant le *Livre* de Mallarmé.

Celui-ci, on le sait, tellement sensible à l'affiche, l'annonce, la partition, est un des maîtres les plus précieux à l'égard de cette « physique » de l'imprimé. Dans « Le Livre Instrument spirituel » qui fait partie des *Variations sur un sujet*, il nous déclare :

> *Je méconnais le volume et une merveille qu'intime sa structure, si je ne puis, sciemment, imaginer tel motif en vue d'un endroit spécial, page et la hauteur.*

Tout en admirant la composition générale des journaux de son temps, « féerie populaire », il se plaint de l'influence fâcheuse qu'ils ont sur la lecture :

> *Je préfère, devant l'agression, rétorquer que des contemporains ne savent pas lire —*

Sinon dans le journal; il dispense, certes, l'avantage de n'interrompre le chœur des préoccupations.
Lire —
Cette pratique —

et surtout, sur l'objet même, « le divin bouquin », « l'organisme complexe requis par la littérature », l'habitude aujourd'hui presque disparue de publier les « bonnes feuilles » d'un roman en avant-première dans un quotidien, imposant

une monotonie — toujours l'insupportable colonne qu'on s'y contente de distribuer, en dimension de page, cent et cent fois.
Mais...

(fait-il objecter à un interlocuteur imaginaire, et lui répond)

— *J'entends,* peut-il cesser d'en être ainsi ;

Certes, l'affirmation ne suffit point. Seule une œuvre pourrait « satisfaire au détail de la curiosité », du moins sa vision serait-elle bien préférable à toute explication préalable, mais il va pourtant, « dans une échappée », tenter de nous faire saisir ce à quoi il songe, et dont il ne nous donnera malheureusement qu'un seul exemple dans *Un coup de dés jamais n'abolira le hasard :*

et vais, dans une échappée, car l'œuvre, seule ou préférablement, doit exemple, satisfaire au détail de la curiosité. Pourquoi — un jet de grandeur, de pensée ou d'émoi, considérable, phrase poursuivie, en gros caractère, une ligne par page à emplacement gradué, ne maintiendrait-il le lecteur en haleine, la durée du livre, avec appel à sa puissance d'enthousiasme : autour, menus, des groupes, secondairement d'après leur importance, explicatifs ou dérivés — un semis de fioritures.

La préface d'*Un coup de dés jamais n'abolira le hasard* nous donne des précisions supplémentaires. L'avantage de la disposition qu'il adopte, séparant les mots ou les groupes de mots, c'est d'accélérer ou ralentir le mouvement,

> *le scandant, l'intimant même selon une vision simultanée de la Page : celle-ci prise pour unité comme l'est d'autre part le Vers ou ligne parfaite.*

Les réflexions de Mallarmé sur le « physique » du livre et de la page, sur leurs propriétés comme objet que l'on regarde ou manie, seront reprises et poursuivies par Claudel en particulier dans « La Philosophie du Livre », conférence prononcée à Florence en 1925, dont on pourra trouver le texte complet dans le premier tome de *Positions et Propositions :*

> *Entre un ensemble de vers et la page qui le contient, le plateau où il nous est présenté, comme ces jardinières japonaises qui renferment tout un paysage en miniature, il y a un rapport en quelque sorte musical. Chaque page se présente à nous comme les terrasses successives d'un grand jardin; l'œil qui les avale d'un seul trait l'une après l'autre saisit comme des repères instantanés ce mot à demi dressé derrière son initiale, ce complexe syllabique, comme une âcre fleur ou comme un if. L'amateur qui tourne l'une après l'autre les pages d'un épais vélin où se déploient par exemple, où se succèdent comme des chars débordants de richesses et de trophées, les strophes du Comus et les octaves du Tasse ou de l'Arioste, n'a pas besoin de lire pour absorber le poème. Il ne lit pas, il se promène comme dans un parterre, il préfère ne pas s'occuper de chaque détail pour dominer l'ensemble. De même que trois mots çà et là avec le train et l'accent des causeurs suffisent à l'auditeur pour jouir d'une conversation, de même au milieu de ces grandes pelouses qui travaillent parfois toute la page de leur typographie vorace, l'œil jouit délicieusement et par une attaque en quelque sorte latérale d'un adjectif qui se décharge tout à coup*

*dans le neutre avec la violence d'une note grenat ou feu... C'est
cette importance de la page, c'est cette idée du rapport nécessaire
entre le contenu poétique et son contenant matériel, entre ce
plein et ce vide, qui avait inspiré à Stéphane Mallarmé l'idée
de sa dernière œuvre...*

Mallarmé savait bien que, dans son exemple ou son
étude, il n'utilisait qu'une infime partie des possibilités
de la page. Il connaissait les superbes typographies du
xvie siècle dont la splendeur n'a jamais été approchée,
les modulations de Rétif (rappelons ce qu'en dit Nerval :

*Il avait pour système d'employer dans le même volume des
caractères de diverse grosseur qu'il variait selon l'importance
présumée de telle ou telle période. Le* cicéro *était pour la passion,
pour les endroits à grand effet, la* gaillarde *pour le simple récit
ou les observations morales, le* petit-romain *concentrait en peu
d'espace mille détails fastidieux, mais nécessaires... Souvent,
voulant marquer les longues et les brèves à la façon latine, il
employait, dans le milieu des mots, soit des majuscules, soit
des lettres d'un corps inférieur...*

tant de choses à redécouvrir !),
il savait que sa tentative, pour originale qu'elle fût,
avait dans le passé les plus solides répondants ; il aurait
su saluer les efforts de tant de modernes, tout ce qu'il
nous faut maintenant reprendre et rendre méthodique.

Les procédés actuels, pourvu qu'on les étudie quelque
peu, permettent de réaliser d'une façon très simple des
arrangements qui auraient demandé autrefois un travail
fort délicat. Il suffit de voir les journaux, les annonces,
les manuels scolaires, les ouvrages scientifiques, les éditions savantes. Les ressources mises ainsi à la disposition
des écrivains sont si grandes qu'ils n'ont plus le droit de
les ignorer. Il suffit d'un peu de courage.

Claudel terminait sa conférence de Florence en évoquant la question de l'illustration,

> *soit qu'on l'envisage à la manière d'un signet, d'un repère dans le désert du texte et aussi d'un repos et rafraîchissement pour le pauvre pèlerin, soit que par une insensible prolifération ce soit la lettre typographique elle-même qui se mette à nous faire la grimace avec tous ces petits bonshommes, soit qu'elle s'entrouvre naturellement pour laisser place parmi ses descriptions abstraites comme par un trou percé dans la partie d'une chambre noire à la réalité extérieure et qu'elle permette à l'imagination l'aide de l'œil. L'union du dessin et de la typographie comporte bien des combinaisons, je ne sais si aucune d'elles a jamais été complètement satisfaisante.*

Ici encore les progrès techniques sont prodigieux, à tel point qu'aujourd'hui c'est en fait le livre illustré qui est la règle, celui qui ne l'est pas l'exception ; et pourtant tous ces illustrés sont en général la simple juxtaposition d'un texte et d'images sans que leur rapport soit jamais pensé.

LE LIVRE COMME OBJET

Le livre, cet objet que nous tenons entre nos mains, relié ou broché, de plus ou moins grand format, de plus ou moins de prix, n'est évidemment qu'un seul des moyens par lesquels nous pouvons conserver une parole. Non seulement il est possible de fixer l'écriture sur des solides d'un type différent, comme les « volumes » de l'antiquité, mais nous disposons aujourd'hui de toutes sortes de techniques pour « geler » ce que nous disons sans même le secours de l'écriture, pour l'enregistrer directement, avec son timbre et ses intonations, que ce soit le disque, la bande magnétique, ou la pellicule de cinéma.

Le fait que le livre, tel que nous le connaissons aujourd'hui, ait rendu les plus grands services à l'esprit pendant quelques siècles, n'implique nullement qu'il soit indispensable ou irremplaçable. A une civilisation du livre pourrait fort bien succéder une civilisation de l'enregistrement. Le simple attachement sentimental, comme celui que nos grands-parents ont gardé pendant quelques années pour l'éclairage au gaz, ne mérite évidemment qu'un sourire indulgent ; j'ai connu une vieille dame qui prétendait que le froid d'une glacière était de meilleure qualité que celui d'un réfrigérateur.

C'est pourquoi tout écrivain honnête se trouve aujourd'hui devant la question du livre. Cet objet par lequel tant d'événements ont eu lieu, convient-il de s'y tenir encore, et pourquoi ? Quelles sont ses véritables supériorités, s'il en a, sur les autres moyens de conserver nos discours ? Comment utiliser au mieux ses avantages ?

Or dès qu'on examine un tel problème avec un esprit suffisamment froid, la réponse apparaît évidente, mais elle implique, certes, des conséquences qui peuvent dérouter les moins déliés de nos censeurs : l'unique, mais considérable supériorité que possède non seulement le livre mais toute écriture sur les moyens d'enregistrement direct, incomparablement plus fidèles, c'est le déploiement simultané à nos yeux de ce que nos oreilles ne pourraient saisir que successivement. L'évolution de la forme du livre, depuis la table jusqu'à la tablette, depuis le rouleau jusqu'à l'actuelle superposition de cahiers, a toujours été orientée vers une accentuation plus grande de cette particularité.

1. *Une ligne qui forme un volume.*

Écoutons quelqu'un prononcer un discours. Chaque mot en suit un seul autre, précède un seul autre. Ils se disposent par conséquent le long d'une ligne animée d'un sens, le long d'un axe. Le meilleur moyen, dans la réalité, d'emmagasiner une telle ligne, un tel « fil », avec le minimum d'encombrement, c'est de l'enrouler ; et c'est bien ce que nous voyons dans le disque, la bande magnétique, ou la pellicule cinématographique. L'ennui, c'est que, lorsque nous voudrons chercher un mot, un détail de ce discours, vérifier quelque chose, nous serons obligés de dérouler entièrement cette ligne, et par conséquent serons tributaires de la durée primitive. Si le discours a duré une heure, et que l'indication dont nous avons besoin se trouve cinq minutes avant la fin, nous serons obligés d'écouter les cinquante-cinq premières minutes, esclaves de cette succession, à moins que...

A moins que, dans une autre dimension de l'espace, selon le diamètre de l'enroulement par exemple, nous n'ayons su disposer des repères que nous puissions alors envisager simultanément. La surface d'un disque peut être ainsi divisée en zones concentriques, ou plages, qui peuvent correspondre à un catalogue. Dès lors, notre regard, notre écoute, disposent d'une liberté, d'une mobilité par rapport au texte. Nous pouvons l'explorer sans plus le subir.

L'avantage premier de l'écriture est, on le sait bien, de faire durer la parole, *verba volant, scripta manent,* mais la merveille c'est qu'elle nous permet non seulement de reproduire le discours, de le « passer » une deuxième ou centième fois tout entier, comme un bloc, mais qu'elle fait subsister chacun des éléments de ce discours lors de l'avènement du suivant, laissant à la disposition de notre œil ce que notre oreille aurait déjà laissé échapper, nous faisant saisir d'un seul coup toute une suite.

Si l'on disposait un discours tout entier sur une seule droite, le début, très rapidement, deviendrait difficilement accessible à l'œil continuant son parcours. Comment contracter le texte de telle sorte qu'une aussi grande partie que possible en soit lisible en même temps ? Écriture « boustrophédon » (une ligne dans un sens, une ligne dans l'autre, comme si le scribe était un laboureur retournant son attelage de bœufs à chaque extrémité du champ ; mais cette formule a l'inconvénient de rendre quasi méconnaissables les ensembles de signes renversés d'une ligne à l'autre) ; enroulements sur des cylindres (mais une partie de la ligne cache forcément l'autre, et l'encombrement est en général considérable), etc., les hommes ont essayé bien des solutions ; le meilleur, jusqu'à présent, semble être de découper la ligne du texte en tronçons que l'on va disposer les uns au-dessous des autres, d'en faire une colonne.

L'idéal, bien sûr, c'est que ce découpage corresponde à quelque chose dans le texte, que celui-ci soit déjà articulé en mesures. Chaque ligne d'écriture, donc chaque mouvement continu de l'œil, correspondra à une unité de signification, d'audition ; le temps que met le regard à sauter d'une ligne à l'autre traduit le silence de la voix. La transcription est alors entièrement satisfaisante : nous nous trouvons devant le « vers, ou ligne parfaite », comme dit Mallarmé.

Dans la colonne de prose, la ligne est coupée n'importe où, selon un module de nombre de signes parfaitement indépendant du texte lui-même ; dans une autre édition on choisira une autre « justification », la coupure tombera ailleurs ; elle n'a pas d'importance. On fait comme si elle n'existait pas. Comme on n'a pas eu le temps d'étudier la mesure ou la disposition, on passe outre...

De même qu'il faut découper le ruban du discours en lignes qui, lorsque ce découpage est justifié autrement que par les hasards de l'édition, s'appellent des vers, de même on est très vite obligé de découper la colonne en tronçons, qui, lorsque ce découpage est justifié, s'appellent des strophes ou paragraphes.

Strophe, page parfaite, comme « vers, ou ligne parfaite ».

Dans le rouleau antique, les tronçons de colonne étaient

disposés les uns à côté des autres selon un axe parallèle à celui que suivaient les mots, ce qui faisait retrouver assez rapidement les inconvénients de l'enroulement primitif. Le livre sous sa forme actuelle apporte un progrès considérable en utilisant délibérément un troisième axe en épaisseur, bien perpendiculaire aux deux autres. On empile les tronçons les uns sur les autres, comme on empilait les lignes.

L'utilisation que la géométrie fait du mot « volume », bien éloignée de son étymologie *volumen*, montre bien avec quelle clarté les trois dimensions apparaissaient dans le livre au moment où il a pris sa forme actuelle.

De même que l'œil peut saisir la ligne entière d'un seul coup, parcourir très rapidement la page pour y vérifier la présence de tel ou tel mot, de même, aidé par une main habile, il peut feuilleter le volume, pratiquant çà et là des sondages, prélevant des échantillons, pour identifier rapidement telle région.

Le livre, tel que nous le connaissons aujourd'hui, c'est donc la disposition du fil du discours dans l'espace à trois dimensions selon un double module : longueur de la ligne, hauteur de la page, disposition qui a l'avantage de donner au lecteur une grande liberté de déplacement par rapport au « déroulement » du texte, une grande mobilité, qui est ce qui se rapproche le plus d'une présentation simultanée de toutes les parties d'un ouvrage.

2. *Le livre comme objet commercial.*

Comment se fait-il alors que ces propriétés si évidentes et si remarquables de l'objet livre soient généralement oubliées ou niées, que le feuilletoniste littéraire reproche si souvent à l'écrivain de l'obliger à revenir en arrière (alors que l'immense avantage du livre sous sa forme actuelle sur le *volumen* antique, ou surtout sur les moyens d'enregistrement direct, c'est de rendre un tel retour aussi facile que possible) ? C'est que l'histoire du livre imprimé s'est développée dans une économie de consommation, et que, pour pouvoir financer la production de ces objets, il a fallu les considérer comme s'adressant à une consommation du même genre que celle des denrées alimentaires, c'est-à-dire comme si leur utilisation les détruisait.

Lorsque le livre était un exemplaire unique, dont la fabrication exigeait un nombre d'heures de travail considérable, il apparaissait naturellement comme un « monument » (*exegi monumentum aere perennius*), quelque chose de plus durable encore qu'une architecture de bronze. Qu'importait qu'une première lecture en fût longue et difficile, il était bien entendu qu'on avait un livre pour la vie.

Mais à partir du moment où des quantités d'exemplaires semblables ont été lancés sur le marché, on a eu tendance à faire comme si la lecture d'un livre le « consumait », obligeant par conséquent à en acheter un autre pour le « repas » ou le loisir suivant, le prochain voyage en chemin de fer.

Je ne puis évidemment revenir à cette cuisse de poulet que j'ai déjà mangée. On aurait voulu qu'il en fût de même pour le livre, qu'on ne revienne pas sur un chapitre, que son parcours fût effectué une fois pour toutes ; d'où cette interdiction du retour en arrière. Finie la dernière page, le livre ne serait bon qu'à jeter ; ce papier, cette encre qui restent, des épluchures. Tout cela pour

provoquer l'achat d'un autre livre qu'on espère aussi
vite expédié.

Telle est la pente sur laquelle risque de glisser aujour-
d'hui le commerçant du livre, danger si pressant qu'on
a pu voir dans ces dernières années un éditeur fort connu
édicter pour sa maison la règle suivante : tout ouvrage
qui n'était point épuisé dans l'année serait inéluctable-
ment pilonné, tel un marchand de colifichets ne voulant
pas s'encombrer d'articles périmés. Les plus intelligents
et les plus courageux de ses aides avaient beau lui remon-
trer qu'il y avait là, quant au livre, quelque sottise,
qu'une telle sévérité à l'égard de sa propre production
était sans doute justifiée pour la plupart des petits
romans qu'il avait proposés aux prix de fin d'année,
mais que les essais, par exemple, en particulier lorsqu'ils
étaient traduits d'une langue étrangère, avaient besoin
d'un certain temps pour atteindre lentement mais sûrement leur public, il ne voulait rien entendre, proclamant
que telles étaient les règles actuelles de l'industrie. Qu'on
est loin, on le voit, du *scripta manent.*

Il faut reconnaître en effet qu'une immense partie du
commerce actuel de la librairie roule sur des objets de
consommation ultra-rapide : les journaux quotidiens,
périmés dès la parution du numéro suivant. L'habitude
d'écrire pour ces feuilles amène presque fatalement à
encourager les livres que l'on n'a pas besoin de relire, que
l'on absorbe d'un seul coup, qui se lisent vite, se jugent
vite, s'oublient vite. Mais il est évident qu'alors le livre
comme tel est condamné à disparaître au profit des
magazines illustrés, et surtout des magazines radio-
diffusés ou télévisés. L'éditeur incapable de considérer
son métier comme autre chose qu'une branche du journalisme coupe la branche sur laquelle il est assis. Si cette

histoire n'a vraiment pas besoin d'être relue, s'il est absolument inutile de revenir en arrière, pourquoi ne pas l'écouter par l'intermédiaire d'un transistor, d'un magnétophone ou d'un pick-up, joliment dite par un acteur au goût du jour qui restituera à tous les mots leur intonation ?

C'est évidemment le développement de cette concurrence au livre qui nous oblige à repenser celui-ci sous tous ses aspects. C'est elle en fait qui débarrassera de tous les malentendus qui l'encombrent encore, qui lui rendra sa dignité de monument, et remettra au premier plan tous les aspects que la poursuite forcenée d'une rapidité de consommation de plus en plus grande avait fait passer sous silence.

Le journal, la radio, la télévision, le cinéma vont obliger le livre à devenir de plus en plus « beau », de plus en plus dense. De l'objet de consommation au sens le plus trivial du terme, on passe à l'objet d'étude et de contemplation, qui nourrit sans se consumer, qui transforme la façon dont nous connaissons et nous habitons l'univers.

Rien n'est plus remarquable à cet égard que l'actuelle évolution du livre à bon marché ou livre de poche : la proportion des classiques et des essais y est de plus en plus grande, en France comme dans tous les autres pays. Il se constitue ainsi peu à peu une sorte d'énorme bibliothèque publique, dont la consultation, l'usage est à la portée d'une clientèle incomparablement plus grande que celle des établissements anciens. On aurait traité de doux rêveur celui qui aurait dit avant la guerre qu'on trouverait vingt-cinq ans plus tard le *Discours de la méthode* ou les *Confessions* de saint Augustin dans toutes les librairies des gares.

Nous retrouvons le livre comme objet complet. Il y a

quelque temps, les modes de sa fabrication, de sa distri-
bution obligeaient à ne parler que de son ombre. Les
changements intervenus dans ces domaines dissipent les
voiles. Le livre recommence à se présenter vraiment à
nos yeux. Regardons.

3. *Horizontales et verticales.*

Ce malentendu sur le livre objet de consommation de
type alimentaire, dès que nos paupières se dessillent,
nous voyons qu'il n'était en fait possible que pour une
certaine catégorie d'ouvrages que les habitudes de la critique et de l'histoire littéraire nous font considérer
comme étant la seule importante et la plus nombreuse,
ce qui est loin d'être le cas, à savoir ceux qui sont effectivement la transcription d'un discours suivi d'un bout
à l'autre du volume, récit ou essai, et qu'il est donc
normal de lire en les commençant à la première page
pour les finir à la dernière, restituant ainsi le temps d'une
hypothétique écoute. C'est évidemment seulement en
ce cas que l'on peut faire comme si les premières lignes
s'effaçaient, disparaissaient lorsqu'on en arrive aux dernières. Mais la plupart des livres dont nous nous servons
ne sont pas construits de cette façon. Nous ne les lisons
en général pas tout entiers. Ils sont des réserves de savoir
dans lesquelles nous pouvons puiser, et qui sont arran-
gées de telle sorte que nous puissions trouver le plus
facilement possible le renseignement dont nous avons
besoin à un moment donné. Tels sont les dictionnaires,
les catalogues, les guides, outils indispensables au fonctionnement d'une société moderne, les livres les plus lus,

les plus étudiés ; et si, bien souvent, ils n'ont que peu de valeur littéraire, cela certes est tant pis pour nous. On vit aussi dans une ville dont les maisons sont laides, mais on y vit moins bien.

L'un des traits caractéristiques de ce genre d'ouvrages, c'est que, souvent, les mots n'y forment point de phrases : ce sont d'énormes listes organisées.

Le récit, l'essai, tout ce qui pourrait former un discours entendu d'un bout à l'autre, se transcrit en Occident selon un axe horizontal de gauche à droite. On sait que ce n'est là qu'une convention, d'autres civilisations en ont adopté d'autres.

Les deux autres dimensions et directions du volume : de haut en bas pour la colonne, de plus proche en plus loin pour les pages, nous les considérons en général comme très secondaires par rapport à l'axe premier. Toutes les liaisons habituellement étudiées par la grammaire s'inscrivent au long de cette horizontale dynamique, mais lorsque nous rencontrons un certain nombre de mots qui ont la même fonction dans la phrase, une suite de compléments d'objet direct par exemple, chacun s'accroche de la même façon ; ils ont au fond la même place dans le déroulement des liaisons, et je perçois comme un arrêt dans le mouvement de la ligne ; cette énumération se dispose en quelque sorte perpendiculairement au reste du texte.

Si j'exprime typographiquement cette perpendiculaire, tout sera plus clair, je mettrai pour ainsi dire « en facteur « la fonction grammaticale de tous ces termes. La structure de la phrase me sera immédiatement visible, et je pourrai même sauter une partie de cette énumération pour voir la suite, quitte à y revenir plus tard.

Ainsi, dans le chapitre xxii du *Gargantua*, Rabelais nous apprend que ce bon géant jouait

Au flux,
à la prime,
à la vole,
à la pille,
à la triumphe,
à la Picardie,
au cent,
à l'espinay,
à la malheureuse,
au fourby,
...

(l'énumération comporte deux cent dix-huit jeux, mais la disposition verticale nous permet d'arriver directement à la fin :)

...
à cambos,
à la recheute,
au picandeau,
à croqueteste,
à la grolle,
à la grue,
à taille coup,
au nazardes,
aux allouettes,
aux chinquenaudes.

Après avoir bien joué, sessé, passé et beluté temps, convenoit boire quelque peu, — c'estoient unze peguadz pour homme, —et, soubdain après bancqueter, c'estoit sus un beau banc ou en beau plein lict s'estendre et dormir deux ou troys heures, sans mal penser ny mal dire...

Chacun des jeux énumérés prend le déroulement horizontal de la phrase au même moment. Certains cas sont plus compliqués : des membres qui doivent pourtant se suivre peuvent être mis en facteur de même façon, comme dans les généalogies, telle celle de Pantagruel :

Les autres croissoyent en long du corps. Et de ceulx-là sont venus les Géans, et par eulx Pantagruel ;
Et le premier fut Chalbroth,
Qui engendra Sarabroth,
Qui engendra Faribroth,
Qui engendra Hurtaly, qui fut beau mangeur de souppes et régna au temps du déluge,
Qui engendra Nembroth,
Qui engendra Athlas, qui avecques ses espaulles garda le ciel de tumber,
Qui engendra Goliath,
Qui engendra Eryx, lequel fut inventeur du jeu des gobeletz,
Qui engendra Tite,
Qui engendra Eryon,
. . .

(ici l'énumération comporte soixante-deux générations)

. . .
Qui engendra Sortibrant de Conimbres,
Qui engendra Brushant de Mommière,
Qui engendra Bruyer, lequel fut vaincu par Ogier le Dannoys, pair de France,
Qui engendra Mabrun,
Qui engendra Foutasnon,
Qui engendra Hacquelebac,
Qui engendra Vitdegrain,
Qui engendra Grand Gosier,
Qui engendra Gargantua,
Qui engendra le noble Pantagruel, mon maistre.

Une énumération, une structure verticale peut s'introduire à n'importe quel moment d'une phrase ; les mots qui la composent peuvent y avoir n'importe quelle fonction pourvu que ce soit la même. Ils peuvent même se situer en dehors d'une phrase, en attente d'une phrase. Des livres entiers peuvent être composés ainsi : la liste des noms dans l'annuaire du téléphone ne constitue pas une phrase, mais il est facile d'imaginer des phrases à l'intérieur desquelles je puisse faire entre un, deux, *n*, ou tous les composants de cette liste.

De même que les structures verticales énumératives peuvent intervenir à l'intérieur des structures horizontales, phrases, de même des structures horizontales peuvent s'accrocher aux membres des énumérations ; c'est ce qui se passe dans tous les dictionnaires ou encyclopédies. Ces deux types d'ensembles verbaux peuvent se combiner à l'infini.

Inutile aujourd'hui de rappeler l'immense importance de l'énumération dans la littérature classique, que ce soit dans la Bible, chez Homère, les tragiques grecs, Rabelais, Hugo, ou les poètes contemporains.

Dans leurs structures, les listes peuvent être aussi variées que les phrases :

ouvertes ou fermées

(si j'écris : « les douze apôtres », et que j'énumère douze noms, ma liste est pleine, c'est un ensemble saturé auquel je ne puis rien ajouter, mais ma liste peut rester ouverte tout en étant parfaitement caractérisée ; il s'agit alors d'une série d'exemples, et j'invite le lecteur à y ajouter d'autres du même genre — la locution « et cætera » est le signe le plus courant de cette ouverture),

amorphes ou ordonnées

(le seul fait de disposer des mots selon l'axe vertical de haut en bas semblerait les ranger dans un ordre hiérarchique, mais un dispositif d'une extrême importance pour toute notre civilisation permet de suspendre toute liaison entre l'ordre de la colonne et un quelconque

ordre objectif, tout en permettant un repérage extrêmement rapide de l'un de ses éléments ; il s'agit de l'ordre
alphabétique auquel on peut soumettre par définition
n'importe quel ensemble de mots et qui est la convention
par excellence — il est le seul moyen de réaliser une
énumération véritablement amorphe, de suspendre
toutes les conclusions qu'on pourrait tirer des relations
de voisinage entre les divers éléments sur la page.

— hâtons-nous de rappeler que si l'ordre alphabétique
ne repose point sur des relations objectives entre les
êtres désignés par les mots, il peut pourtant déterminer
des relations entre ces êtres ; chacun de nous se souvient
du rôle que jouait pour lui la situation qu'il avait dans
la liste alphabétique des élèves de sa classe

— les relations de voisinage, si elles ne sont point suspendues par l'ordre alphabétique, peuvent se déployer
soit de façon rectiligne (la liste des élèves dans les résul-
tats d'une composition, du premier au dernier, celui-ci
étant le plus éloigné de celui-là), ou de façon circulaire,
le dernier rejoignant le premier (ainsi les douze mois de
l'année, les quatre saisons, les sept couleurs de l'arc-
en-ciel, etc), peuvent revêtir toutes sortes de figures, se
hiérarchiser de mille façons,
  simples ou complexes
(une énumération d'éléments peut être coiffée par une
énumération de catégories, de groupes, etc ; on a ainsi
une classification dont la disposition la plus claire implique plusieurs colonnes décalées les unes par rapport
aux autres, ou bien plusieurs énumérations dont les éléments respectifs entretiennent des correspondances

— on obtient alors la forme tableau ; l'annuaire du
téléphone est entièrement constitué par un énorme
tableau de correspondances).

4. *Obliques.*

Les énumérations complexes vont se disposer ainsi tout naturellement en plusieurs colonnes, chaque élément du tableau pouvant être lui-même le point de départ d'une structure horizontale, d'un ensemble de phrases. Il est clair qu'entre ces phrases ou discours pourront s'établir des liaisons, de même entre les membres de plusieurs énumérations différentes.

Rabelais, dans le premier chapitre du *Gargantua*, nous donne un bon exemple élémentaire d'une telle structure oblique :

> *... attendu l'admirable transport des règnes et empires :*
> *des Assyriens ès Mèdes,*
> *des Mèdes ès Macédones,*
> *des Macédones ès Romains,*
> *des Romains ès Grecz,*
> *des Grecz ès Françoys.*

En isolant les deux colonnes :

> *des Assyriens*
>   *ès*
>   *Mèdes*
> *Mèdes   Macedones*
> *Macedones   Romains*
> *Romains   Grecz*
> *Grecz*
>   *Françoys.*

Plus loin, dans le trente-huitième chapitre du *Tiers Livre*, en voici un autre beaucoup plus riche :

> *Triboulet (dist Pantagruel) me semble compétentement fol.*

Panurge répond :

Proprement et totalement fol.

Suit un dialogue entre Pantagruel et Panurge, disposé sur deux colonnes, énumération des épithètes du mot « fol » :

Pantagruel :	*Panurge :*
Fol fatal	*F. de haulte game,*
F. de nature,	*F. de b quarre et de b mol,*
F. céleste	*F. terrien,*
F. Jovial,	*F. joyeux et folastront,*
F. Mercurial,	*F. jolly et folliant,*
F. lunaticque,	*F. à pompettes,*
F. erraticque,	*F. à sonnettes,*
F. aeteré et Junonien,	*F. riant et vénérien,*
F. arctique,	*F. de soubstraicte,*
F. héroïque,	*F. de mère goutte,*
...	...

(l'énumération cette fois comporte cent trois double termes)

...	...
F. hieroglyphique,	*F. de rebus,*
F. authenticque,	*F. à patron,*
F. de valleur,	*F. à chaperon,*
F. précieux,	*F. à doublerebras,*
F. fanaticque,	*F. à la damasquine,*
F. fantasticque,	*F. de tauchie,*
F. lymphactique,	*F. d'azemine,*
F. panicque,	*F. barytonant,*
F. alambicqué,	*F. moucheté,*
F. non fascheux,	*F. à épreuve de hacquebutte.*

Ces passages de Rabelais sont bien loin d'avoir reçu jusqu'à présent l'attention qu'ils méritent de la part des historiens et théoriciens de la littérature ; mais on voit très clairement dans   certaines régions de celui-ci la double correspondance horizontale et verticale, à quoi s'ajoute l'influence oblique d'une réplique sur l'autre. Pour insister sur ces liaisons, il faut trouver un moyen de forcer l'œil à des mouvements obliques par rapport à cette trame horizontale-verticale. Le procédé le plus courant est le renvoi : par une phrase on peut engager le lecteur à regarder ailleurs, ou par un mot, par exemple le titre d'un même article de l'Encyclopédie, ou par un signe (astérisque, appel de note, etc.) repris à un autre endroit de la page ou du volume. Même si le signe employé n'avait point pour moi auparavant valeur conventionnelle, le seul fait qu'il soit répété en dehors de la suite normale, horizontale ou verticale, me fait effectuer la liaison. On sait bien par ailleurs que la répétition du même mot au début de chacun des membres d'une suite verticale est un des meilleurs moyens d'attirer l'attention sur celle-ci.

Plus les signes semblables sont nombreux et proches, plus ils vont forcer mon attention, former une constellation dynamique sur le fond de la page. Aux deux flèches fondamentales : de gauche à droite, de haut en bas, vont s'ajouter toutes celles qui vont courir d'un pôle à l'autre de ces reprises.

5. *Marges.*

Les notes sont en général mises en dehors du corps même de la page, en dessous, quelquefois reportées en fin de chapitre ou de volume. Le lecteur est manifestement invité à lire le texte deux fois, une en continuant directement la phrase, l'autre en faisant le détour de la note.

Ce clivage entre deux zones du texte, l'une facultative l'autre obligatoire, exprime souvent un clivage entre deux zones du public auquel le texte est adressé. Lorsqu'on fait des citations en langue étrangère, et qu'on les traduit en note, on estime que certains des lecteurs auront compris d'eux-mêmes, et que les autres, ignorant l'espagnol ou le finlandais, auront à faire le détour. De même, lorsque l'auteur veut être « accessible à tous », mais pourtant se défendre contre les spécialistes, il traite à leur intention les points délicats dans un petit champ réservé.

La note s'accroche à un seul mot du texte primaire, mais très souvent le commentaire s'adresse en fait à tout son contexte. Il n'y a dès lors plus de raison de mettre un signal à tel mot qu'à tel autre, et nous avons la glose marginale.

La situation habituelle des notes en bas de page fait que l'on a tendance à ne les consulter qu'après avoir lu le corps du texte dans son ensemble ; mais lorsque le commentaire est situé latéralement, le mouvement normal de la lecture nous amène à le rencontrer pendant notre prise de connaissance de ce texte primaire. Il va dès lors se diffuser, imprégner tout le discours.

On peut considérer la typographie des pièces de théâtre comme un cas particulier de structure marginale. Le nom des personnages était autrefois dans la marge ; il ne fait pas partie du texte entendu ; indispensable au texte que nous lisons, il est supprimé dans celui qu'on nous lit ; il nous indique comment lire. Plus tard on a situé le plus souvent ce nom symétriquement de part et d'autre par rapport au milieu de la page, autre façon de le retirer du corps du texte.

À ces indications sont liées celles qui concernent le

décor, omises dans une représentation scénique où ce
décor est réalisé, plus ou moins données dans une lecture
à la radio, et les indications de ton, de rythme, de sentiment, que l'acteur doit obligatoirement faire passer à
l'intérieur de son jeu. Ainsi, dans les traductions des
tragiques grecs publiées sous le patronage de l'association
Guillaume Budé, l'expressivité de la métrique de l'original est remplacée par des annotations marginales de ce
genre : « vif, plus lent, mélodrame, etc. »

La signification entière d'un texte peut être transformée
par de telles directions de lecture ou d'interprétation.
Ainsi la fameuse indication du *Tartuffe:* « C'est un scé-
lérat qui parle. »

La phrase en marge, le membre de phrase, le mot, ne
sont point attachés directement à quelque chose qui les
précède ou qui les suit dans le déroulement de la ligne,
du sillon, de la bande première, mais sont comme le
foyer de diffusion d'un certain éclairage, d'autant plus
sensible qu'on en est plus près ; c'est comme une tache
d'encre qui buvarde, qui gagne, et qui sera contrecarrée,
contenue, par la diffusion de la tache suivante. Le mot
agit alors comme une couleur. Les noms de couleur et
tous ceux qui désignent la qualité d'une surface ou d'un
espace auront un pouvoir de diffusion sur la page particulièrement remarquable.

En mentionnant certains mots du texte, on peut contrôler très précisément la direction, l'amplitude de la
diffusion, réduire plus ou moins la glose à une note.

Coleridge a donné l'exemple classique de l'utilisation
poétique de la glose marginale dans *The Rime of the
ancient Mariner.*

Même s'il n'y a point de notes en bas, de gloses en
marge, les éditeurs couronnent souvent le corps du texte

dans la page par quelques mots nommés « titre courant ». Dans la plupart des cas, il s'agit en effet du titre de l'ouvrage constamment rappelé comme l'armure d'une portée ; mais au xixᵉ siècle surtout, le titre courant pouvait varier d'une page à l'autre, rappelant les titres des chapitres, ou bien caractérisant chaque page, la résumant pour permettre au lecteur de s'y retrouver plus aisément.

On voit que le corps de la page peut être encadré d'une véritable enceinte de mots, le protégeant, l'illustrant et le défendant. Des dispositions de ce genre étant relativement coûteuses, on les rencontre le plus souvent aujourd'hui dans les ouvrages savants : manuels, traités, thèses, où du point de vue littéraire la routine fait malheureusement la loi.

6. *Caractères.*

La métrique des tragiques grecs était elle-même une indication de diction, et toute disposition de vers dans la page, tout découpage du texte en lignes inégales peut avoir la même valeur. Mallarmé reste le meilleur exemple d'une telle utilisation métrique de la page, mais il faut rappeler qu'il considérait lui-même *Un Coup de Dés jamais n'abolira le Hasard* comme une élévation au niveau du poème de procédés déjà courant dans l'affiche, l'annonce, ou le journalisme.

La typographie expressive de Mallarmé repose sur quatre principes fondamentaux :

1) Les différences d'intensité dans l'émission des mots sont traduites par des différences de corps. Les mots prononcés fort, et qui appartiennent dans le cas de ce poème,

à la proposition principale, sont imprimés en caractères
plus gros. L'ordre des intensités est chez Mallarmé équivalent à celui des subordinations.

2) Les blancs indiquent les silences : blancs entre les
paragraphes ou strophes, plus ou moins épais, blancs à
l'intérieur des lignes, plus ou moins longs et surtout
décalages plus ou moins grands d'une ligne à l'autre. Ici
nous sommes obligés de considérer deux effets contraires :
la lecture de la prose nous habitue à considérer comme
nul le temps de passage d'une ligne à l'autre dans la
colonne ; lorsque le départ de la ligne suivante sera
décalé vers la droite, comme lorsqu'il y a un départ de
paragraphe, le premier mot sera précédé d'un silence
sans qu'il y ait perturbation dans le mouvement général
du texte. Par contre, lorsque la ligne suivante est décalée
vers la gauche, nous avons tendance à rechercher plus
haut la colonne à l'aplomb de laquelle ce départ est
placé, et nous avons un effet de retour en arrière. C'est
un silence souligné, que le lecteur devra faire ressortir
en accentuant ses deux « bords », le mot qui précède et
celui qui suit, alors que, dans le décalage vers la droite, il
devra au contraire le faire couleur en atténuant ses bords,
en diminuant l'intensité des mots de chaque côté.

3) Il est certain que Mallarmé a cherché de plus un
équivalent de la hauteur des sons, de l'intonation. Il
voulait que le haut de la page correspondît au plus aigu,
le bas au plus grave, comme dans une portée. Mais ceci
ne peut malheureusement s'appliquer dans son poème
qu'à l'épine dorsale, à la proposition titre : *Un coup de
dés jamais n'abolira le hasard*, imprimée dans les caractères les plus gros, parce qu'elle n'occupe jamais plus
d'une ligne par page. La direction verticale de haut en
bas est tellement déterminante qu'on serait obligé, si

l'on voulait s'en tenir littéralement au principe mallarméen, dès qu'on a plusieurs lignes, d'avoir des pages commençant toujours dans l'aigu et se terminant toujours dans le grave. Dans *Un coup de dés jamais n'abolira le hasard*, le principe s'applique de moins en moins à mesure qu'on s'éloigne de cette proposition principale, très vite plus du tout.

4) A cela s'ajoute la différenciation très courante entre deux « couleurs » typographiques : le romain et l'italique, qui correspond à la transcription d'un timbre ou d'une voix.

Cette dernière différenciation peut se diversifier à l'infini dès qu'on utilise des caractères de forme différente, comme le font tous les jours les journaux, les affiches, les prospectus, etc. Mallarmé ne s'est pas aventuré de ce côté-là.

Le catalogue d'une fonderie de caractères nous présente aujourd'hui une variété de timbres typographiques prodigieuse, pratiquement inépuisable. Le danger est justement dans cette richesse qui n'a malheureusement été exploitée jusqu'à présent que de la façon la plus grossière. Il faudra peu à peu que les écrivains apprennent à manier les différentes sortes de lettres comme les musiciens leurs cordes, leurs bois et leurs percussions.

Il va de soi qu'une étude plus poussée d'*Un coup de dés jamais n'abolira le hasard* permettrait d'y mettre en évidence un certain nombre des fonctions que nous avons examinées sous les titres précédents : énumérations, notes ou gloses.

7. *Figuration.*

La page vue en bloc, avant même que nous en ayons déchiffré le premier mot, nous frappe par une certaine figure : rectangle massif ou découpé de paragraphes, clarifié ou non par des titres, coulée de vers, strophes régulières, ou bien des souples fantaisies de La Fontaine. Le texte se donne immédiatement comme compact ou aéré, amorphe, régulier ou irrégulier. Il est possible de donner un sens de plus en plus précis à ces figures.

Elles peuvent former un dessin reconnaissable au premier coup d'œil : c'est le cas de la « Syrinx » de Théocrite, des « Ailes » ou de l'« Autel » de George Herbert, de la bouteille de Rabelais. On parle alors de calligrammes.

Ceux d'Apollinaire, beaux poèmes parfois, ont l'inconvénient majeur de n'être pour la plupart que des textes disposés selon les lignes d'un dessin qui se réalise typographiquement fort mal. Ceux de Théocrite, Rabelais, Herbert, Lewis Caroll ou Dylan Thomas sont plus intéressants parce que la figuration y informe tout le mouvement de la lecture, la figure plastique étant en même temps figure rythmique.

Mais il serait injuste de réduire la calligraphie d'Apollinaire à la seule disposition des lignes du texte selon les linéaments de son illustration sommaire. Il réussit à instituer quelquefois entre les différentes parties de son père des relations comparables à celles qui existent entre les différentes parties d'une peinture. Écoutons-le sous son pseudonyme « Gabriel Arboin » dans les *Soirées de Paris :*

... dans la Lettre-Océan, *ce qui s'impose et l'emporte, c'est l'aspect typographique, précisément l'image, soit le dessin. Que cette image soit composée de fragments de langage parlé, il n'importe* psychologiquement, *car le lien entre ces fragments n'est plus celui de la logique grammaticale, mais celui d'une logique idéographique aboutissant à un ordre de disposition spatiale tout contraire à celui de la juxtaposition discursive...*

On débouche alors sur les inépuisables ressources des œuvres d'art à inscriptions : temples égyptiens, tapisseries françaises, tableaux de Van Eyck, qui ont certes aujourd'hui d'innombrables héritiers : *comic books*, manuels techniques, dépliants publicitaires, malheureusement pas tout à fait au même niveau. Il s'agit d'assumer tout cet art populaire industriel actuel et de l'élever de telle sorte qu'il puisse rivaliser avec les œuvres d'autrefois.

8. *La page dans la page.*

De tous les objets extérieurs, celui qui est le plus facile à reproduire dans la page d'un livre, c'est la page d'un autre livre.

Tous les mots, toutes les phrases d'un texte suivi, ou même d'une page complexe avec notes, titre courant, sous-titres, etc., influent les uns sur les autres. On peut avoir intérêt à isoler plus ou moins telle phrase dans ce champ, à nous la présenter comme si elle était seule. C'est ce qui arrivera par exemple dans un roman lorsqu'on voudra nous restituer l'effet d'une affiche, d'une inscription que le héros voit tout d'un coup. On protégera ce passage par un cadre qui donnera l'équivalent d'une feuille blanche, qu'elle soit de la taille d'une carte

de visite ou d'une affiche gigantesque, ou d'une page.
Celle-ci peut être assez organisée pour n'avoir pas
besoin de cadre. Ainsi Balzac, dans *La Muse du département*, nous fait lire quelques pages d'un faux roman noir,
Olympia ou les Vengeances romaines, dans un autre ordre
que celui qu'elles devraient avoir dans leur volume, tout
en nous donnant tout ce qu'il faut pour reconstituer cet
ordre, apprécier les lacunes qui subsistent entre deux des
suites. Une telle reproduction a sur le lecteur un effet
tout différent de celui d'une citation, nous sommes mis
en présence de l'objet même.

Le fait que la fin de la ligne dans la colonne de prose
est considérée comme indifférente amène, une fois la
page isolée, à des détachements de mots remarquables,
à une poésie involontaire dont nous pouvons tirer parti.
Ainsi le premier passage d'*Olympia ou les Vengeances
romaines* commence au dernier mot d'une phrase, ce qui
nous oblige à essayer d'imaginer ce qui le précède, donne
à la ligne un pouvoir de prolongement considérable. Ce
mot « caverne », qui n'a plus de valeur grammaticale
précise, va jouer par rapport aux quelques phrases qui le
suivent le rôle d'une véritable armure de dièzes ou bémols,
c'est lui qui va donner le ton de toute la page ; sa valeur
d'évocation va la teindre tout entière.

Introduite à l'intérieur de l'autre, la page s'en distingue par sa justification plus réduite. Souvent, dans
les ouvrages savants, les citations sont ainsi imprimées
en lignes plus courtes que le reste. L'œil suit tout naturellement les alignements des paragraphes ; il y a là
possibilité de faire jouer plusieurs textes les uns avec les
autres comme des voix, l'attraction entre les différents
tronçons d'une même colonne devenant d'autant plus
forte que la coupure qui les sépare est moins naturelle,

par exemple si elle se produit au milieu d'une phrase comme chez Balzac, ou même d'un mot.

La reproduction d'une page, ou même d'une ligne à l'intérieur d'une autre page permet un découpage optique dont les propriétés sont toutes différentes de celles du découpage habituel des citations. Il sert à introduire dans le texte des tensions nouvelles, celles mêmes que nous éprouvons si souvent aujourd'hui, dans nos cités couvertes de slogans, de titres et d'annonces, bruyantes de chansons et discours diffusés, ces secousses lorsqu'est brutalement occulté ce que nous lisions ou écoutions.

9. *Diptyques.*

La Muse du département, avec son découpage optique des pages d'*Olympia ou les Vengeances romaines* et le bouleversement de leur ordre, nous amène aux problèmes du volume, de la liaison de ces pages entre elles.

La première caractéristique du livre occidental actuel à cet égard est la présentation en diptyque : nous voyons toujours deux pages à la fois, l'une en face de l'autre. Ceci est souligné dans *La Muse du département* par le fait que le titre courant *Olympia ou les Vengeances romaines,* s'étend sur les deux pages face à face *Olympia* à gauche, *ou les Vengeances romaines* à droite.

La couture, au milieu du diptyque, forme une région de moins bonne visibilité ; c'est pourquoi il arrive souvent que les gloses soient disposées symétriquement, la marge droite étant la bonne marge pour la page droite, la gauche pour la gauche.

Le mouvement de gauche à droite qui entraîne notre œil a tendance à nous faire quitter constamment la page de gauche pour celle de droite, qui est nommée pour cela la « bonne page », celle sur laquelle on met toujours le titre du livre, le plus souvent les départs de chapitres.

La présentation simultanée de ces deux volets fait que les tableaux vont pouvoir s'y étaler, déborder de l'un sur l'autre, prendre le livre ouvert dans toute sa largeur, et que les lignes d'un côté pourront répondre à celles de l'autre.

Le meilleur exemple de cette utilisation du diptyque, c'est la traduction juxtalinéaire, le texte original se poursuivant sur les versos, la traduction sur les rectos. Sterne a déjà tiré de cet aspect du livre un contrepoint des plus savoureux. Il est d'ailleurs jusqu'à présent le plus grand artiste que je connaisse dans l'organisation du volume.

10. *Index et tables.*

L'ordre dans lequel les pages se suivent n'a pas du tout la même importance pour un récit linéaire où les événements se succèdent les uns aux autres, et pour une encyclopédie où l'on passera d'article en article selon les besoins du moment. Mais dans l'ouvrage le plus successif, une table des matières peut m'aider à retrouver la simultanéité du volume. Au texte bien ordonné selon une simple ligne, l'éditeur savant ajoutera un index qui nous permettra justement d'aller rechercher tel mot ou tel sujet sans nous astreindre à le relire d'un bout à l'autre.

A l'ordre primaire de la pagination, qui devient déjà dans les traductions juxtalinéaires une double pagination parallèle, peuvent se superposer toutes sortes d'autres trajets auxquels nous sommes invités par le texte même (ainsi Sterne saute un chapitre et nous en propose la lecture beaucoup plus tard), ou par des notes, des signes, des appendices, des énumérations de toutes sortes. A la fin du *Quart Livre*, Rabelais ajoute une «Briefve Déclaration d'aucunes Dictions plus obscures », un lexique, Carlo-Emilio Gadda après ses nouvelles de longues notes humoristiques et savantes, Faulkner, pour la réédition de *The Sound and the Fury* une généalogie commentée de la famille Compson.

Ce n'est pas seulement le corps de la page qui peut être entouré d'une enceinte, c'est le corps de l'œuvre, et toutes les fonctions que nous avons rencontrées à son niveau peuvent se retrouver à celui du volume.

Tout ceci sans rien changer à son apparence extérieure, ni à son mode actuel de fabrication. Mais certes il est facile d'imaginer des variantes.

SUR LA DÉCLARATION DITE « DES 121 »

Dans l'un des recueils de morceaux choisis les plus utilisés dans l'enseignement secondaire, on peut lire une célèbre lettre de Bossuet à Louis XIV, dans laquelle l'extrême prudence des formules ne masque nullement une opposition d'une admirable fermeté :

... et pour lui dire [à Votre Majesté] sur ce fondement ce que je crois être de son obligation précise et indispensable, elle doit avant toutes choses s'appliquer à connaître à fond les misères des provinces, et surtout ce qu'elles ont à souffrir, sans que Votre Majesté en profite, tant par les désordres des gens de guerre que par les frais qui se font à lever la taille, qui vont à des excès incroyables. Quoique Votre Majesté sache bien sans doute combien en toutes choses il se commet d'injustices et de pilleries, ce qui soutient vos peuples, c'est, Sire, qu'ils ne peuvent se persuader que Votre Majesté sache tout; et ils espèrent que l'application qu'elle a fait paraître pour les choses de son salut, l'obligera à approfondir une matière si nécessaire...

Bossuet était alors professeur, professeur payé par l'État, puisqu'il était le précepteur du dauphin.

Quelques pages plus loin, on rencontre une autre

lettre non moins fameuse de Fénelon au même prince,
d'un ton bien plus vif :

> *... Le peuple même (il faut tout dire) qui vous a tant aimé,
> qui a eu tant de confiance en vous, commence à perdre l'amitié,
> la confiance et même le respect..... La sédition s'allume peu à peu
> de toutes parts. Ils croient que vous n'avez aucune pitié de
> leurs maux, que vous n'aimez que votre autorité et votre gloire...
> Les émotions populaires qui étaient inconnues depuis si long-
> temps deviennent fréquentes... Les magistrats sont contraints de
> tolérer l'insolence des mutins, et de faire couler sous main
> quelque monnaie pour les apaiser; ainsi on paye ceux qu'il
> faudrait punir. Vous êtes réduit à la honteuse et déplorable
> extrémité, ou de laisser la sédition impunie, et de l'accroître
> par cette impunité, ou de faire massacrer avec inhumanité des
> peuples que vous mettez au désespoir en leur arrachant, par vos
> impôts pour cette guerre, le pain qu'ils tâchent de gagner à la
> sueur de leur visage.*
>
> *Mais pendant qu'ils manquent de pain, vous manquez vous-
> même d'argent, et vous ne voulez pas voir l'extrémité où vous
> êtes réduit. Parce que vous avez toujours été heureux, vous ne
> pouvez imaginer que vous cessiez jamais de l'être. Vous craignez
> d'ouvrir les yeux; vous craignez qu'on ne vous les ouvre...*

Fénelon était alors professeur, professeur payé par
l'État, puisqu'il était le précepteur du second fils de
Louis XIV. Et il est hors de doute, nous disent les historiens, qu'une telle lettre n'a pas été remise directement
au roi, qui ne l'aurait alors vraisemblablement même
pas lue, mais qu'elle a circulé dans l'entourage de celui-ci
pour pouvoir obtenir le maximum d'effet. Fénelon mesu-
rait certainement les risques qu'il courait à prendre
ainsi la parole avec cette vigueur ; sa disgrâce n'a pas
dû l'étonner.

J'ai lu ces textes étant élève ; j'ai eu l'occasion depuis,
professeur, de les faire lire et de les commenter à des
élèves, m'appliquant à leur montrer qu'en de certains

moments il n'était plus possible de continuer son travail
de professeur ou d'écrivain sans que certains malentendus fussent dissipés ou dénoncés, que devant certaines injustices, dont on vous demande par votre
docilité d'être complice, le silence était non seulement
lâcheté mais suicide. L'histoire récente abonde, hélas,
en démonstrations de cela, et il est remarquable que
parmi ceux qui se sont voilés la face devant la déclaration dite « des 121 », ou devant les soutiens qui lui
venaient de l'autre côté des frontières, on puisse reconnaître, si j'ose dire, des professionnels de l'obéissance
aux tyrans, de la servilité silencieuse devant les maîtres
de l'heure, que parmi ceux qui ont déclaré, par exemple,
qu'il ne convenait pas à des écrivains de se mêler de ce
qui se passait « dans un autre pays », il s'en soit trouvé
qui, il n'y a pas tellement d'années, jugeaient bon de
s'en occuper de fort près, dans des circonstances que
nous n'oublions pas.

Il y a des moments où celui qui jouit de l'immense
privilège de pouvoir travailler assez tranquillement,
dans une chambre ou un laboratoire, à l'accroissement
du savoir humain, l'amélioration de notre séjour et de
notre vie, est un traître à tout ce qu'il fait, à lui-même,
à tous ceux qui le suivent et l'entendent vraiment, qu'il
soit mathématicien, compositeur ou architecte, s'il ne
jette pas dans la balance le peu d'autorité morale ou
spirituelle dont il se trouve alors investi.

« Il faut tout dire », s'il y a une tradition française
c'est bien celle-ci, et c'est pourquoi je n'ai même pas eu
besoin de choisir mes répondants parmi cette admirable
lignée de protestataires que nous avons, Voltaire, Hugo
ou Zola, mais que j'ai pris ces deux prélats, ces deux
soutiens de l'autel et du trône, ces deux illustrations

majeures du moment le plus illustre de Versailles, car
ceux-là même nous poussaient à notre geste, car c'est
même ceux-là que reniaient nos ennemis.

Certes, il arrive que des déclarations d'intellectuels
soient vaines, soient mal faites, qu'elles passent à côté,
qu'elles dénoncent un mal illusoire, qu'elles tombent à
l'eau ; elles prêtent alors à sourire ; mais dans le cas
qui nous occupe, la meilleure preuve que la menace
était réelle, que le point sensible était bien touché, que
la liberté d'expression était en danger, c'est l'interdiction qui a frappé ce texte à sa parution, qui l'a empêché
d'être reproduit, ce sont les sanctions qui ont été prises.

C'est pourquoi il convient de le lire lui-même, de le
dégager ainsi soigneusement de toutes les déformations
systématiques dont il a été l'objet du seul fait qu'il était
impossible de le citer, de le considérer dans sa lettre.

Je le reconnais, dans la plupart des cas il vaut mieux
tenacement poursuivre le travail en cours, et laisser à
des spécialistes choisis les problèmes politiques de l'instant, mais qui, voyant ce qui s'est passé depuis, ce qui
se passe encore, qui oserait dire que cette fois il n'était
pas temps, grand temps d'intervenir ? Ah, que pourraient se reprocher aujourd'hui les auteurs et les signa-
taires (c'est tout un), si ce n'est d'avoir trop tardé ?

LE CRITIQUE ET SON PUBLIC

On écrit toujours en « vue » d'être lu. Ce mot que j'inscris, c'est à l'intention d'un regard, fût-ce le mien. Dans l'acte même d'écrire il y a un public impliqué.

1. *Le destinataire.*

Le cas-limite est celui, extrêmement rare, de l'auteur qui travaille véritablement pour lui-même, pour pouvoir plus tard faire le point, et qui n'a nullement l'intention de donner à lire à autrui ce qu'il note, par exemple Kafka dans son *Journal*.

La plupart du temps, les « écrits intimes » ne sont destinés à leurs auteurs qu'en premier lieu ; ils sont rédigés en vue d'une diffusion possible plus ou moins rapide. Il arrive que ce public numéro deux conditionne bien plus le texte que le premier. C'est le cas pour Gide.

Il est bien plus fréquent d'écrire à l'intention d'un autre unique ; c'est ce que nous faisons dans nos lettres. Ainsi, celles de Vincent van Gogh à son frère Théo n'étaient destinées qu'à celui-ci.

Celles de Mme de Sévigné, par contre, n'étaient destinées à sa fille qu'en premier lieu, et il était bien entendu que celle-ci ne les gardait point par devers elle, mais les faisait circuler à l'intérieur d'un cercle d'amis qui n'étaient pas tous forcément connus personnellement par la mère, mais qui restaient dans « un milieu » très limité.

Il faut immédiatement faire intervenir toutes sortes de gradations. Prenons l'exemple de la lettre : parfois je demande au destinataire de la brûler ; j'estime que je m'y exprime de telle sorte que lui seul est capable de m'entendre ; pour tout autre il y aurait grave malentendu. Parfois, c'est bien à lui personnellement que je m'adresse, et si je m'étais adressé à un autre, je me serais sans doute exprimé tout autrement, mais s'il montre la lettre à un tiers, cela ne me troublera point, car je sais que justement ce destinataire connu sera un terme de référence suffisamment sûr pour permettre à tel ou tel autre de faire les transpositions nécessaires.

Si j'écris à un membre d'une famille ou d'un groupe très uni, la plus grande partie de ce que je dis à l'un est exactement ce que j'aurais dit à un des autres ; quelques points seulement personnalisent mon écrit, le reste est en réalité adressé à l'ensemble.

On trouve le développement extrême de cette situation dans la « lettre ouverte », dont le destinataire véritable est un public aussi vaste que possible, la personnalité précisée n'étant finalement qu'un chiffre, une référence sémantique, comme une armure de dièzes à la clef d'une partition. Ce nom est là pour m'indiquer à quoi se rapporte telle allusion, comment il faut lire telle expression.

L'exemple de Mme de Sévigné nous montre bien qu'une attitude d'écriture peut être ouverte à un premier niveau, celui du destinataire effectif de la lettre, Mme de

Grignan, qui doit la faire lire, mais fermée à un second,
le milieu dans lequel celle-ci peut la faire circuler. Il
aurait été inconvenant de laisser traîner de telles lettres
sous les yeux de certaines personnes. Mais si ce public
second est socialement exclusif, il subsiste pourtant une
certaine ouverture définitive dans le fait que les individus appartenant à ce milieu vont se renouveler constamment, qu'il y aura toujours de nouveaux arrivants
à qui l'on pourra les montrer. C'est ce qu'on appelait
autrefois la postérité.

2. *La postérité.*

Lorsque Mme de Sévigné écrivait à l'intention pre-
mièrement de sa fille, deuxièmement du milieu auquel
celle-ci appartenait, elle ne pensait nullement que le
passage des années pût changer quoi que ce fût aux
règles qui séparaient cette « élite » du reste des gens ;
c'était une postérité « linéaire ».

Chez les écrivains du siècle suivant, l'idée gagne qu'il
convient d'écrire pour un milieu que les transformations
de la société, la disparition de certains préjugés en particulier, fera grandir de plus en plus, jusqu'à devenir
un jour « tous les hommes » ; c'est une postérité « en
expansion »,

même si l'écrivain, tel Mallarmé, s'en tient volontairement à un public originel fort restreint : « J'écris
des livres difficiles », peut-il nous dire, « qui, dans les
conditions actuelles, ne peuvent être lus que par quelques-uns, mais j'espère que ces conditions, et dans une
mesure si minime soit-elle, grâce à eux, vont se modifier
de telle sorte que, peu à peu, ils deviendront lisibles

pour tous, auquel cas, même s'ils sont relégués dans
l'oubli par des œuvres plus éclatantes, ils appartiendront
pourtant aux références fondamentales de cet âge futur,
seront constitutifs de cette nouvelle réalité »,

alors que, bien souvent, celui qui prétend écrire « pour
le peuple », l'enfermant dans sa différence, son manque
de loisir et culture, travaille en fait contre lui.

3. *L'œuvre à la recherche de son destinataire.*

L'auteur d'un manuel scolaire écrit pour la classe de
seconde, ou pour l'École polytechnique, conformément
à des programmes ; lorsque ceux-ci auront changé, il
adaptera ses ouvrages.

C'est ce qui se passe pour toute littérature « commerciale ».

Il arrive que des faiseurs de livres préparent selon
certaines recettes éprouvées une marchandise destinée
à un milieu auquel ils n'appartiennent nullement, n'ont
pas envie d'appartenir, méprisent au contraire. Ce sont
les grands défenseurs de l'exclusion, car ils n'aiment pas
tellement voir traîner leurs ouvrages sous les yeux de
ceux qu'ils estiment. Désirant marquer leurs distances,
ils vont souvent tenter d'écrire, à côté de leurs livres
« commerciaux » des livres « sérieux », c'est-à-dire destinés à ceux qu'ils fréquentent, ou qu'ils rêvent de fréquenter ; mais cette tentative sombre en général dans
le ridicule, et ne fait que les lier plus encore à cela même
qu'ils méprisaient, c'est-à-dire non point à leur public,
mais à ce qui était méprisable dans ce public et qu'ils
exploitaient, plus encore car, incapables de concevoir

d'une façon dynamique ce public autre, incapables
sinon ils détruiraient leurs propres œuvres, écraseraient
leur ancien moi vil, n'en finiraient plus de l'écraser, ils
abordent ceux dont ils se croient les « pairs » par un
ensemble de recettes et de conventions tout aussi préé-
tablies, et donc, cherchant à montrer ce qu'ils croient
être « en réalité », démontrent qu'ils ne le sont point.
Il apparaît enfin que, contrairement à leur illusion, ce
n'est pas eux qui ont choisi, mais qu'ils se sont laissé
choisir par ce méprisable à quoi désormais ils appartiennent.

C'est que dans la mesure où cette « adresse », cette
visée, cette destination ne comporte point de mensonge
ou tricherie, où l'auteur s'efforce bien de parler « en
réalité », il faut bien se rendre à cette évidence que le
destinataire ne peut jamais être entièrement connu par
avance, que c'est le texte lui-même qui va le révéler.
On pourrait dire : l'auteur d'un manuel scolaire pour la
classe de seconde ne peut considérer celui-ci comme une
œuvre au plein sens du terme que dans la mesure où il
n'est pas seulement destiné aux élèves de seconde, où
il a l'impression d'apporter « quelque chose » qui peut
intéresser quelqu'un d'autre.

Kafka sait bien dans son *Journal* que c'est à lui-même
qu'il s'adresse, mais qui ne voit à quel point ce lui-même
futur est au jour de la rédaction un inconnu? Il écrit
pour savoir ce que cela pourra lui dire ; s'il le savait
déjà, justement parce qu'il ne se suppose point d'autre
public, quel besoin aurait-il d'écrire?

Il demande à ce frère lointain : « Qui suis-je? », c'est-
à-dire : « Qui es-tu? », si incroyablement lointain dont
il ne peut presque rien dire si ce n'est qu'il sera vraisemblablement perdu comme lui, et que cette trace

laissée sur le papier pourra peut-être l'aider à se reconnaître, à s' « y » reconnaître.

Si je fais une conférence devant un groupe d'auditeurs ou d'élèves, c'est bien à eux que je m'adresse en premier lieu, et mes paroles seront différentes de celles prononcées devant tel autre groupe. Et pourtant, avant de commencer, que connais-je d'eux ? Quelques indications d'ensemble, données par ceux qui m'avaient invité, le lieu, le spectacle de ces visages, de ces vêtements, perçus d'abord comme une foule. Mais, tandis que je parle, je prends en quelque sorte la « température » de ce groupe. Je vois bien si tel mot passe, porte, s'il est compris, et, selon les cas, je donne les explications nécessaires, j'insiste sur tel ou tel point, jusqu'à ce que le discours ait accroché, que j'ai perçu, comme au téléphone ou dans une liaison radio, le signal de réponse.

Souvent, à l'intérieur de ce public, là, sous mes yeux, je vois se dessiner des mouvements, des divisions, je sens que, parmi ces auditeurs, il y en a que je n'atteindrai pas, du moins cette fois-ci, et je choisis naturellement (peut-on même parler d'un choix ?) de m'adresser aux autres, par l'intermédiaire seul de qui ma parole pourra peut-être un jour toucher les premiers.

Cette fraction, je n'aurais pu la déterminer à l'avance ; eux-mêmes ne savaient pas ce qui les distinguait du reste ; ce sont mes mots eux-mêmes qui ont révélé ce clivage.

4. *Déterminations inévitables.*

Texte lancé à la mer, à la recherche de son public, mais cette enivrante indétermination remarquons qu'elle

ne peut se produire qu'à l'intérieur d'un certain milieu
historique, ouvert sur l'avenir, avec un point d'origine
très précis : la date de parution ou de composition. Une
partie du public de Balzac m'est définitivement interdit,
mort. Pour peu que je considère qu'il s'est produit des
événements importants, dans quelque domaine que ce
soit, depuis son époque, ma visée ne peut être identique
à la sienne. Que j'en aie pris conscience ou non, quelque
chose en moi sait que mon public a une histoire aug-
mentée par rapport à celui de mes prédécesseurs.

De plus, je travaille dans une langue, et, parmi les
hommes d'aujourd'hui ou de demain, je ne pourrai
toucher ceux qui ne la connaissent pas que par l'intermédiaire d'interprètes. Celui qui écrit en français espère
sans doute être traduit, il peut même arriver que pour
tel livre le public qui l'intéresse le plus soit celui d'une
autre langue, mais il ne l'atteindra qu'en passant par
la sienne, donc par les siens.

Dans cette langue, des niveaux différents correspondent à des éducations diverses, donc des couches
ou des classes. On peut espérer voir ces distinctions se
résorber un jour, elles sont pour l'instant considérables.
J'écris d'abord pour ceux qui comprennent les mots que
j'emploie, sinon dans leur totalité (dès qu'un vocabulaire
est riche, il y a des mots dont le sens m'échappe, au
moins dans une première lecture), du moins en proportion suffisante.

Autre détermination d'origine : le lieu de la publi-
cation, condition fondamentale que nous avons tendance
en France à oublier à cause de la prédominance de Paris
à cet égard.

Enfin, la préférence d'âge. Je laisse de côté la question
des ouvrages « pour la jeunesse ». A l'intérieur du public

adulte, je sais bien que les réactions varieront selon les générations, et comme la nouvelle ne peut se définir qu'en s'opposant à celle qui l'a précédé, c'est-à-dire en choisissant dans ce qu'elle lui lègue ce qui est passé et ce qui demeure présent, il ne peut y voir ici indétermination absolue, car déclarer qu'il m'est indifférent que ceux de moins de trente ans ne me lisent pas, c'est très exactement choisir contre eux.

Il est facile de montrer comment un public est déterminé à l'insu même de l'auteur par la nature des références qu'il emploie. Si je fais trop d'allusions à des musiciens ou des peintres que la plupart des gens de soixante ans n'apprécient pas, ne pourront jamais apprécier (il est trop tard pour qu'ils s'y mettent), il va de soi que je m'interdis leur audience. Je m'adresse forcément d'abord à ceux pour qui cette référence a ou peut prendre un sens. L'inverse n'est pas vrai, car si je prends mes exemples chez des auteurs que presque seuls aujourd'hui les gens de soixante ans connaissent, je puis toujours penser que les moins de trente ans y viendront peu à peu, ceux d'aujourd'hui vieillissant, ou leur descendance.

Se servir de tel ou tel pour référence, c'est parier pour sa postérité. Plus ces paris sont audacieux, plus s'accentue la préférence, à l'intérieur du public « actuel », pour les couches les plus jeunes. La visée restant indéterminée dans une dimension, est alors fermement orientée, « engagée » dans une autre.

Sur cette orientation verticale essentielle peuvent se greffer des orientations horizontales corrélatives, politiques par exemple, dans la mesure où la préférence ira vers ceux qui sont de tel côté ; on estime alors que parmi ceux d'un certain âge, entre vingt et trente, ou vingt et

quarante, c'est tel groupe déjà constitué qui peu à peu
deviendra la figure de l'ensemble, dont les références
deviendront celles de tous, qu'il est en avance sur
eux.

Mais les œuvres les plus originales, et dont l'importance apparaîtra par la suite comme la plus décisive,
seront celles qui à l'intérieur d'une génération mon-
tante, celle-ci ou une autre prochaine, serviront de
pierre de touche pour distinguer ce qui est dynamique
de ce qui ne l'est pas, révéleront un clivage nouveau.

Parfois, les évidences de la marche des choses sont si
criantes qu'on ne peut espérer honnêtement provoquer
un tel clivage qu'en s'écartant délibérément, expressé-
ment, de telle direction pourrissante.

5. *La situation du critique.*

Le professeur de littérature doit mettre en communication un texte et ses élèves, leur en donner l'intelligence ; ce qu'il dit ne pourra être utile à d'autres que
par leur intermédiaire.

La critique professionnelle, celle des journaux, nous
offre un exemple de détermination préalable très accen-
tuée, car le journaliste connaît d'une façon relativement
précise ce qui distingue ses lecteurs de ceux des journaux
concurrents.

Bien sûr, le rédacteur en chef met en général son point
d'honneur à ne pas peser sur son critique, mais il n'en
est même pas besoin. Comme son rôle est de guider
cette fraction de la population dans la foule des ouvrages
mis en vente, et que les conditions d'appartenance à
cette fraction sont parfois très simples et très strictes,

ses règles de conduite et d'appréciation spécifiques, il sera capable de dire sans crainte de démenti : ceci est pour vous, ceci n'est pas pour vous.

Une telle critique, à la limite, est le corrélatif exact d'une littérature « commerciale ». Elle opère au passage un contrôle de la recette ou de la formule, tel un office de surveillance des produits laitiers ou pharmaceutiques. Le feuilleton se lit comme une analyse chimique : trop de ceci, pas assez de cela, telles normes sont dépassées, telles bornes ; refus d'estampiller ; ce que nous trouvons souvent résumé dans la condamnation suivante : « Ceci est un produit que je ne connais point », qui devrait être justement pour un examinateur plus libre le comble de l'éloge.

Car la véritable critique est ouverte elle aussi, non point la douane qui refuse l'introduction des marchandises suspectes après un rapide examen, mais le relais qui lui permet d'arriver à destination. Non qu'il n'y ait parfois de bons contrôleurs ou douaniers ; trop de poisons circulent qu'il faut identifier et dénoncer ; mais nous avons d'abord besoin de nourritures et minerais, par conséquent de prospecteurs.

De même que le véritable écrivain est celui qui ne peut supporter que l'on parle si peu ou si mal de tel ou tel aspect de la réalité, qui se sent dans l'obligation d'attirer l'attention sur celui-ci, définitivement, il l'espère, non qu'il s'imagine le moins du monde qu'après lui il n'y ait plus à en parler, bien au contraire, ce qu'il désire étant que l'esprit reste pour toujours alerté ; de même le critique le plus utile est celui qui ne peut supporter que l'on parle si peu ou si mal de tel livre, de tel tableau, de telle musique, et l'obligation est aussi durement ressentie dans ce domaine que dans tout autre.

Il s'indigne. : « Comment pouvez-vous ne pas voir, ne pas aimer, ne pas sentir la différence, ne pas comprendre à quel point c'est ceci qui pourrait vous aider ? »

Le poète, tant que telle chose n'avait pas été dite, ne pouvait plus vivre vraiment, ainsi le critique tant que ce dire n'a pas atteint d'autres oreilles que les siennes. Le poète visait une postérité en expansion ; c'est précisément cette expansion que le critique est capable d'accélérer considérablement.

Le public qu'il vise n'est donc autre que celui qu'il apporte à l'auteur qui l'a retenu. Il n'est compris, entendu, que dans la mesure où il le fait lire, et il se tait, à la fin de son propre texte, devant celui qu'il a tenté de rapprocher.

S'il y réussit, son travail ne s'abolit nullement dans ce silence, ne s'enfonce dans l'oubli. Ce qui permet ainsi d'atteindre l'œuvre inépuisable, conserve un inépuisable pouvoir de mise en rapport, est œuvre soi-même, s'adjoint à l'œuvre originelle comme complément nécessaire, devenant référence constitutive d'un nouvel état des choses en même temps qu'elle, les textes les plus admirables demeurant à tout jamais inachevés et méconnus.

RÉPONSES A « TEL QUEL »

1. *Vous avez d'abord été considéré comme un romancier. Mais vos poèmes,* Le Génie du lieu, Répertoire, Histoire extraordinaire, *les nombreux essais que vous avez consacrés non seulement à la littérature mais aussi aux différents arts, et enfin* Mobile, Votre Faust, *toute cette activité multiple empêche qu'on vous définisse simplement.*

Qu'avez-vous à ajouter à votre intervention de 1959 à Royaumont ?

On ne peut me définir simplement ? Tant mieux ! Cela n'est un inconvénient que pour les critiques pressés qui aiment bien les étiquettes, et ne détestent rien tant qu'être obligés de recommencer à lire, à travailler, à réfléchir pour une œuvre nouvelle d'un auteur qu'ils croyaient casé.

Tout ce que je vais répondre pourra s'ajouter à mon intervention de 1959 à Royaumont ; ce sera une intervention de 1962 à *Tel Quel*. Ce qui m'apparaît en premier, c'est qu'en 1959 le mot « roman » me suffisait pour définir mon activité, tout le reste, mes anciens poèmes, mes essais, pouvant se subordonner à la suite des quatre livres : *Passage de Milan, L'Emploi du temps, La Modi-*

fication, Degrés. Aujourd'hui je suis obligé de considérer
le roman comme un simple cas particulier ; il faut que
j'en restreigne la définition.

Je me suis aperçu qu'on ne pouvait parler de roman
que lorsque les éléments fictifs d'une œuvre s'unifiaient
en une seule « histoire », un seul monde parallèle au
monde réel, complétant et éclairant celui-ci, dans lequel
on entre au début de sa lecture pour n'en ressortir qu'à
la fin, quitte à y revenir dans un autre volume comme
chez Balzac, Zola ou Faulkner. Le roman est une fiction
unitaire. Or il est bien évident qu'il peut y avoir unité
de l'œuvre sans que la fiction soit unique.

De plus, pour qu'il y ait roman, il faut en rester au
niveau du récit courant, il faut que cela soit quelque
chose que quelqu'un aurait pu raconter à quelqu'un
d'autre. Mais il est possible de faire subir un traitement
comparable à celui que le roman fait subir à ces récits
habituels, à des œuvres : dictionnaires, encyclopédies,
catalogues, annuaires, indicateurs, guides, manuels, qui
sont constitués par les éléments communs à d'innombrables récits possibles, qui sont comme les nœuds du
tissu de récit qui nous enveloppe et à travers lequel
nous voyons le réel.

Le contenant, ce qui relie les diverses fictions, peut
lui-même être aussi peu fictif que possible, peut même
être aussi peu narratif que l'on voudra, aussi « abstrait »
par rapport au récit quotidien, être une pure présentation de faits parfaitement vérifiables par qui que ce soit,
l'imaginaire et sa lumière sourdant constamment des
rapprochements établis, des moments romanesques
apparaissant çà et là.

Alors je pouvais déclarer qu'à partir du jour où je
m'étais mis à mon premier roman je n'avais plus écrit

de poèmes courts, voulant réserver au roman tout ce que je pouvais avoir de capacité poétique, mais je dois reconnaître aujourd'hui que les textes que j'ai écrits ces temps derniers, ou que je prépare, pour accompagner des œuvres plastiques, sont bel et bien des poèmes au sens courant du terme : *Rencontre* (avec Zanartu), *Cycle* (avec Calder), *Litanie d'eau* (avec Masurovsky), et bientôt *Pousses* (avec Hérold).

II. *Éprouvez-vous une différence de nature entre vos ouvrages proprement créateurs et vos travaux critiques ou théoriques ? Il semble que vos essais, souvent, établissent, à leur manière, des schèmes romanesques.*

J'éprouve de moins en moins cette différence.

Avant *Passage de Milan*, je ressentais une véritable déchirure entre mes poèmes et mes essais. Le roman a été le moyen de résoudre cette tension ; mais je vois bien qu'il ne la résolvait pas entièrement. En effet, il aurait dû supprimer à la fois essais et poèmes, les remplacer. Il y a bien réussi pendant quelques années pour les poèmes, jamais pour les essais. Je m'en tirais en disant que ce qui passait dans les essais, c'était ce que provisoirement je ne pouvais pas intégrer à l'œuvre romanesque en cours. Mais, bien sûr, ce que j'ai dit dans mes essais, je ne l'ai pas repris dans mes romans. Et non seulement les poèmes anciens se sont tellement rappelés à moi que j'en ai publié une partie, mais je me suis mis, grâce à des peintres, à en composer de nouveaux, si bien que je me trouve désormais devant trois termes, au moins, romans, essais et poèmes, qui subsistent, qu'il est impossible de subordonner entièrement l'un à l'autre, et qu'il s'agit de faire vivre en bonne intelligence. Mais il n'y a plus désormais de déchirure, parce que la généralisation que j'ai dû faire subir à la notion de roman m'a permis de découvrir un monde de structures intermédiaires ou englobantes, et que je puis maintenant me promener librement dans un triangle dont les pointes seraient le roman au sens courant, le poème au sens courant, l'essai tel qu'on le pratique d'habitude.

Si je me mets à raconter la vie d'un homme réel, Baudelaire par exemple, je vais me trouver devant le genre même de problèmes que lorsque je raconte celle d'un homme imaginaire, à ceci près que pour celui-ci, lorsque j'ai besoin d'un événement, il me suffit de l'inventer, tandis que, pour Baudelaire, il me faut constamment vérifier, et que, si je ne trouve pas la vérification, il me faut abandonner cette piste-là. Mais reconnaissons que si l'on a envie d'écrire la vie d'un poète de grande qualité, on aura le plus grand mal à inventer les citations de ses œuvres. Quel génie, certes, aurait le romancier qui serait parvenu à inventer les citations que j'ai rassemblées dans mon *Histoire extraordinaire!*

Dans cette lettre de Baudelaire, j'ai senti qu'il y avait le moyen de relier un certain nombre d'aspects de la vie et de l'œuvre de son auteur, de les présenter autrement qu'on ne fait d'habitude, et de parvenir à une cohérence meilleure, les rendant ainsi encore plus forts et plus beaux. N'est-ce point là le projet de toute critique sérieuse? Et comme je me situais volontairement en dehors de tout *cursus* universitaire, en dehors de ce tissu de discussions exprimé par les notes, références, coups de chapeau ou de patte aux prédécesseurs, etc., il fallait que l'ouvrage se tînt en quelque sorte tout seul, comme un roman.

Je n'ai jamais écrit de nouvelle (j'ai publié une fois

un conte fantastique ou récit de rêve : *La Conversation*), et si je songe à des « ensembles » de récits, je crois que je n'écrirai jamais de nouvelles isolées. Mes nouvelles, jusqu'à présent, c'est ce que j'ai pu raconter, à travers certaines de leurs œuvres, de l'aventure de Cervantès, de Balzac, ou de Mondrian.

III. *Écrivant sur la peinture, est-ce le sort de cet art qui vous intéresse d'abord ? Ou bien cherchez-vous votre profit d'écrivain dans ce domaine qui lui paraît étranger ? Croyez-vous que peinture et écriture sont liées aujourd'hui ?*

Un tableau m'intrigue ; j'y reviens ; je veux lui arracher le secret de son pouvoir. Que connaissait-il cet homme, ou ces hommes, que moi j'ignore ? Et c'est pourquoi je me mets à son école, à leur école, jusqu'à ce que j'aie trouvé mon profit, et, merveille, toute découverte, toute solution de l'énigme amène toujours d'autres prestiges ; les grandes œuvres ont des ressources infinies. Or je n'arrive à m'éclaircir vraiment les choses qu'en les expliquant à autrui.

C'est donc mon profit que je cherche, et le vôtre. Or comme j'écris des livres, et que cette activité est vraiment le centre de mon existence, comment pourrait-il y avoir pour moi un véritable profit s'il n'était aussi profit d'écrivain ? Les peintres m'enseignent à voir, à lire, à composer, donc à écrire, à disposer des signes dans une page. En Extrême-Orient, la calligraphie a toujours été considérée comme la communication nécessaire entre peinture et poésie. Nous avons aujourd'hui l'arrangement du livre.

Comment le domaine de la peinture pourrait-il paraître étranger à l'écrivain ? Ce critique d'art lui-même, tellement jaloux aujourd'hui du poète ou du romancier qui empiète sur son domaine, c'est simplement un écrivain spécialisé. Les plus grands critiques ou historiens d'art sont aussi des écrivains de premier plan, que ce soit Baudelaire ou Roberto Longhi. Dostoïevski nous en dit plus sur Holbein ou Claude Lorrain que tous les spécialistes, ce qui n'enlève certes rien au prix de ceux-ci.

La peinture nous concerne tous. Elle n'est nullement affaire seulement de collectionneurs et marchands ; ceux-ci ne sont que le mode actuel du financement de l'activité picturale, mode remarquablement aberrant et révélateur quant à notre société. Quant à l'écrivain, rien, absolument rien ne devrait lui être étranger, surtout pas cela.

La peinture se débrouillerait très bien sans moi ; je ne me débrouille pas sans la peinture. Si des peintres trouvent dans ce que j'écris le moyen de résoudre certaines de leurs difficultés, s'ils ont l'impression que je les aide à avancer, j'y vois un bon signe, je les en remercie.

Peinture et littérature sont évidemment liées aujourd'hui, comme toujours, étant deux aspects importants du même fonctionnement social. Mais il peut arriver que leur liaison soit en grande partie masquée, que des circonstances rendent difficile la prise de conscience de ces rapports. Ce sont alors de nouvelles découvertes dans les deux domaines qui tout d'un coup vont les rendre apparents, découvertes qui, on le sait bien, peuvent bouleverser profondément l'économie générale de ces activités et de leur financement, rencontrer par conséquent d'énormes résistances. La dernière fois que la liaison entre peinture et littérature a été perçue clairement, c'est pendant la grande période surréaliste. Il est remarquable qu'à la même époque la liaison entre la littérature et la musique ait été complètement occultée.

IV. *Avec* Mobile, Votre Faust, *vos pièces radiophoniques, vous semblez mettre au point une formule « spectaculaire » de* l'œuvre ouverte ?

Regardez-vous le roman comme un genre pour vous dépassé ? Cette évolution n'est-elle pas en germe dans vos premiers livres ? Degrés *ferait alors transition entre* L'Emploi du temps, La Modification *et cette recherche.*

J'ai de plus en plus envie d'organiser des images, des sons, avec les mots. A cet égard, d'ailleurs, on peut considérer le livre comme un petit « théâtre ». La difficulté, l'intérêt aussi, c'est qu'on est obligatoirement amené alors à l'œuvre collective : les questions d'exécution prennent une importance énorme. Il faut vraiment savoir avec qui l'on travaille.

Quant au roman, s'il n'a plus pour moi la primauté absolue que je lui attribuais encore récemment, il n'est nullement dépassé pour autant. Je prépare très lentement un nouveau roman.

V. *Aragon, entre autres, louait la prose du* Génie du lieu. *Pourtant, on dirait que, depuis* Degrés, *vous négligez l'écriture, les « belles-lettres », au profit de constructions et structures préalables à l'écriture et qui seraient de plus en plus précises et astreignantes. Pouvez-vous nous préciser le sens de cette apparente mécanisation ?*

Les « belles-lettres » comme telles, le « bien écrit » au sens scolaire, c'est-à-dire, il y a quelques années, « écrit comme Anatole France », il y a un peu moins d'années,

« écrit comme André Gide », cela ne m'a jamais intéressé.

Celui qui écrit bien, en vérité, c'est celui qui sait utiliser sa langue, qui donne à ses mots tout leur poids, qui connaît toutes les ressources de sa syntaxe ; c'est celui dont la pensée anime jusqu'au détail de ses phrases ou ensembles verbaux.

Je m'efforce de contrôler de mieux en mieux ce que je fais, et comme je m'attaque à des problèmes de plus en plus complexes, je suis obligé de mettre au point des instruments de haute précision. Il faut de bien belles mécaniques pour aller vite, pour voir loin, pour construire grand. Il n'y a donc pas une écriture qui viendrait se surajouter à la construction comme un vernis qu'on passerait au dernier moment. Il y a la composition de l'œuvre, et la forme de chaque phrase, le choix de chaque mot doit en être une conséquence.

VI. *Avez-vous, écrivant, des problèmes de « mot-à-mot » ? Où sont vos chances d'erreur ?*

J'ai fait des traductions. *Degrés* et surtout *Mobile* sont bourrés de traductions. Pour ce dernier ouvrage, il était nécessaire de rendre le ton spécial du texte, même à travers un très court fragment, qu'il fût tiré des œuvres de Jefferson ou d'un prospectus. Il y avait là des problèmes de « mot-à-mot » d'une extrême difficulté, d'innombrables chances d'erreur. Lorsque j'écrivais sur Baudelaire, il fallait perpétuellement vérifier si ce que j'imaginais s'accordait avec l'ensemble de ce qui est connu à son sujet.

Quand je rédige une page, très souvent un mot m'arrête ; c'est comme une chose qu'on a perdue, il faut remuer toute la maison pour remettre la main dessus.

Je connais des écrivains estimables qui « tissent » ligne après ligne sans jamais revenir en arrière. Je relis; deux ou trois mots me sautent à la figure comme faux. Il faut absolument les corriger ; ils sont comme des fautes d'orthographe. Pas seulement deux ou trois mots, deux ou trois phrases, la page entière. Ce que j'écris à la page 200 peut m'obliger à reprendre de fond en comble les dix premières pages. Il y a certainement des passages de mes livres que j'ai refaits cinquante fois.

Lorsque l'on compose non seulement avec des mots, mais avec des « masses » de texte, par exemple des citations plus ou moins littérales, parfois fort longues, prises un peu comme des mots, on se trouve devant des problèmes d'ajustement vertigineux. Cela vaut la peine.

On m'a signalé dans mes livres un certain nombre d'erreurs de détail, telles des fautes d'impression. Parfois il est facile de corriger ces « coquilles » dans une édition ultérieure ; parfois cela n'est pas possible, elles appartiennent au texte. Ainsi j'ai donné irrémédiablement une fausse date au *Guy Fawkes day* dans *L'Emploi du temps*. Je comprends maintenant comment cela s'est produit, mais je n'y puis plus rien.

L'important est que l'ouvrage tienne malgré ce défaut, ce nœud dans le bois, cette brûlure dans le tissu. On n'est jamais à l'abri d'erreurs de ce genre, mais si l'on a suffisamment « éprouvé » son livre, elles n'y peuvent en fait rien changer.

VII. *Vos études sur l'alchimie, les contes de fées, la science-fiction, Jules Verne, Raymond Roussel, semblaient à première vue indiquer un intérêt proche de celui manifesté par le surréalisme. Or vous passez généralement pour un*

*tenant du réalisme. Pouvez-vous nous expliquer en quoi
la prééminence du monde « extérieur » (« représentation »
des États-Unis) paraît vous retenir davantage ?*

Dans surréalisme il y a réalisme. Certes le groupe n'a
pas toujours été à la hauteur de ses aspirations, mais il
a eu l'immense vertu de proclamer d'une façon définitive que la peinture et la littérature n'étaient pas des
arts d'agrément, mais des instruments d'exploration et
de transformation du réel.

Il ne peut y avoir de réalisme véritable que si l'on fait
sa part à l'imagination, si l'on comprend que l'imaginaire
est dans le réel, et que nous voyons le réel par lui. Une
description du monde qui ne tiendrait pas compte du
fait que nous rêvons ne serait qu'un rêve.

Le mot réalisme ne peut désigner qu'une attitude
morale, une volonté de tenir compte des choses telles
qu'elles sont, sans se contenter d'illusions, de consola-
tions ; cela implique une volonté de tenir compte des
rêves tels qu'ils sont.

Quant aux objets extérieurs, ce qu'on voit, qu'on
touche, qu'on prend dans sa main, les mots qui les
désignent sont de tous les moins équivoques : un geste
suffit pour nous assurer de leur signification. Ils sont
les plus sûrs.

Or en ces objets peut s'inscrire tout ce que vous
appelez monde intérieur ; le livre n'est-il pas un objet ?
Ainsi la mentalité américaine s'inscrit dans les millions
d'objets manufacturés qui circulent d'un bout à l'autre
des États-Unis. Les serviettes de toilette n'ont pas les
mêmes couleurs là-bas, qu'ici, les métaphores qui
désignent ces couleurs dans les catalogues ou les prospectus ne sont pas les mêmes que pour celles d'ici. C'est

que les gens qui les utilisent ont une mythologie et des
références différentes, et que dans l'organisation de leur
existence quotidienne les couleurs des serviettes jouent
un rôle différent de celui qu'elles jouent dans la nôtre.
Celui qui est aveugle à de tels détails ne comprendra
jamais un pays étranger. Cela peut avoir quelques
conséquences...

VIII. *Pour le public, vous appartenez au « nouveau
roman ». Qu'en pensez-vous ? Quelles sont, en 1962, les
recherches d'ordre littéraire qui vous semblent les mieux
fondées ? Y a-t-il* mouvement ?

Historiquement, l'expression « nouveau roman » a
déjà un sens assez clair : il s'agit d'un certain nombre de
romanciers qui sont devenus brusquement plus connus
vers 1956. Ces romanciers, fort divers, avaient évidemment des points communs, et ce n'est pas un hasard
s'ils ont été publiés alors en grande partie par la même
maison d'édition. Dans les cours que j'ai donnés sur le
roman français au xxe siècle, j'ai été bien obligé de
présenter les choses de cette façon, et d'admettre qu'à
cet égard, je « fais partie » du « nouveau roman ».

Mais un tel rapprochement n'a nullement permis la
constitution d'une doctrine commune, et j'ai été longtemps agacé de voir des critiques, sous prétexte de
« nouveau roman », m'attribuer des « théories » qui
n'étaient nullement les miennes, ce qui multipliait les
malentendus.

Quant aux recherches d'ordre littéraire en 1962, mon
dieu, il est bien tôt pour se prononcer. Évidemment
seules peuvent m'intéresser celles qui débordent cet
« ordre littéraire », qui replacent la littérature dans notre

vie, qui s'interrogent sur son pourquoi. Ce que font ceux
qui ont été groupés sous cette étiquette « nouveau
roman » me semble digne d'attention, et j'ai l'impression
qu'il y a chez des gens plus jeunes quelque fermentation.
Je surveille cela. J'espère que d'ici peu de temps vont
surgir de nouvelles œuvres qui me passionneront, m'ai-
deront, seront avec moi, avec lesquelles je pourrai être.
Pour l'instant, c'est encore un peu la nébuleuse, mais il
y a sûrement mouvement dans la coulisse.

IX. *Quels sont vos projets immédiats, lointains ?*

J'ai du pain sur la planche pour cent ans.

DU MÊME AUTEUR

ENVOIS.

EXPRÈS *(Envois 2)*.

MATIÈRE DE RÊVES IV : QUADRUPLE FOND.

MATIÈRE DE RÊVES V (et dernier) : MILLE ET UN PLIS.

En préparation

TRANSIT.

LE GÉNIE DU LIEU IV.

Aux Éditions Bernard Grasset

LE GÉNIE DU LIEU.

Aux Éditions de Minuit

PASSAGE DE MILAN.

L'EMPLOI DU TEMPS.

LA MODIFICATION.

RÉPERTOIRE I.

RÉPERTOIRE II.

RÉPERTOIRE III.

RÉPERTOIRE IV.

RÉPERTOIRE V.

tel

Volumes parus

Ouvrage reproduit
par procédé photomécanique.
Impression S.E.P.C.
à Saint-Amand (Cher), 26 mars 1992.
Dépôt légal : mars 1992.
Numéro d'imprimeur : 384.
ISBN 2-07-072502-2./Imprimé en France.